KU-124-155

roma...

dennis hopper
brad pitt chr...

BRAD
PITT

DIANE
KRUGER

BILL2

INGLOURIOUS
BASTERDS
THE NEW FILM BY QUENTIN TARANTINO

GO
FOR
THE
KILL

ROLLING

...Y QUENTIN TARANTINO/PRODUCED BY LAWRENCE BENDER

KILL BI

THE FOURTH FILM BY QUENTIN TARA...

KILL BILL SOUNDTRACK OUT NOW

« Quand je fais un film,
je veux qu'il soit tout pour moi,
comme si je pouvais
mourir pour lui. »

TARANTINO
RÉTROSPECTIVE

TOM SHONE

GRÜND

Pour Gavin
TS

Ouvrage conçu et réalisé par Palazzo Editions Ltd,
15 Church Road, London SW13.9HE (Royaume-Uni)
www.palazzoeditions.com

© 2017 Éditions Gründ, un département d'Edi8,
12 avenue d'Italie – 75013 Paris
© 2016 Palazzo Editions Ltd pour l'édition originale
sous le titre *Tarantino: A Retrospective*
© 2016 Tom Shone pour le texte
© 2016 Palazzo Editions Ltd pour la maquette
Couverture : John Gall

ISBN : 978-2-324-01943-2
Dépôt légal : octobre 2017
Imprimé en Chine par Imago
Adaptation française : Thierry Buanic
Texte original : Tom Shone
Conception graphique : Amazing15
Suivi éditorial et PAO : Tifinagh

GARANTIE DE L'ÉDITEUR
Malgré tous les soins apportés à la fabrication, il est
malheureusement possible que cet ouvrage comporte
un défaut d'impression ou de façonnage. Dans ce cas,
il vous sera échangé sans frais. Veuillez à cet effet le
rapporter au libraire qui vous l'a vendu ou nous écrire
à l'adresse ci-dessous en nous précisant la nature
du défaut constaté. Dans l'un ou l'autre cas, il sera
immédiatement fait droit à votre réclamation.
Éditions Gründ, un département d'Edi8,
12 avenue d'Italie – 75013 Paris
www.grund.fr

PAGES PRÉCÉDENTES : Portrait par Levon Biss, 2012.

SOMMAIRE

INTRODUCTION

Quand Quentin Tarantino écrit un script, la première chose qu'il fait est d'acheter dans une papeterie un cahier de 250 pages, des feutres noirs et quelques feutres rouges. Il écrit dans des restaurants, des bars, à l'arrière d'une voiture, partout sauf chez lui. Il a pourtant récemment écrit *Django Unchained* sur le balcon de sa chambre, dans sa maison, un grand manoir dans les collines de Hollywood. Le balcon donne sur une piscine, des orangers et, dans le lointain, des canyons striés de vert. Il y a installé des haut-parleurs pour écouter ses compilations de musique. Il se lève à 10 heures ou 11 heures, débranche son téléphone fixe, se traîne jusqu'au balcon et se lance pour six heures de travail, huit heures si ça vient bien.

Pour lui, les dialogues sont la partie la plus facile à construire. À l'entendre, il n'écrit pas les textes de ses personnages, il les transcrit. Parfois, le meilleur texte vient alors qu'il pense qu'il a terminé la scène. Il n'imaginait pas au départ que les membres du gang de Reservoir Dogs allaient commencer à se disputer à propos de la couleur de leurs noms. Il ne savait pas non plus que M. Blonde allait sortir un rasoir de sa botte. « Ma tête est une éponge » dit-il récemment, à propos de son processus d'écriture.

À GAUCHE : À travers la pellicule de *Pulp Fiction*, le film qui lui a valu son premier Oscar en 1995.

À DROITE : Chez lui dans les collines de Hollywood, 2013.

À DROITE : Tarantino au milieu de sa collection de films, chez lui, par Patrick Fraser, en 2013.

«J'écoute ce que tout le monde dit, j'observe les petits comportements spécifiques, on me sort une blague et je m'en souviens. Les gens me racontent une histoire intéressante sur leur vie et je m'en rappelle… Quand je crée mes nouveaux personnages, mon stylo est comme une antenne, il récupère ces informations, et tout d'un coup ces personnages prennent vie, plus ou moins complètement. Je n'écris pas des dialogues, je fais se parler les les personnages».

Fréquemment, il appelle ses amis pour leur dire : «Écoute ça» et leur lit ce qu'il vient juste d'écrire, pas vraiment pour obtenir leur approbation, mais pour l'entendre à travers leurs oreilles. Après avoir sympathisé avec le critique de cinéma Elvis Mitchell au Sitges Film Festival 2004, il lui lit le script de *Death Proof (Boulevard de la mort)* dans un patio d'hôtel à Los Angeles. «Même la voiture avait une vie propre, bien plus que dans la série K 2000, raconte Mitchell. L'admiration de Tarantino pour ses personnages s'accompagne de crainte, parce que ces lectures lui montrent à quel point chacune de ses créations acquiert une vie propre, s'implique, argumente… Ce qui est fascinant, quand on l'écoute lire à voix haute, c'est que chacun de ses personnages a quelque chose de très spécifique à jouer, le plus souvent une faim d'être compris avec ses propres mots.»

Quand il a terminé, il saisit le texte, à un seul doigt, sur sa machine à écrire Smith Corona héritée d'une ancienne petite amie, qu'il utilise depuis *Reservoir Dogs*. Malgré un QI de 160, Tarantino, dyslexique, a quitté le lycée à Harbor City, Los Angeles à quinze ans et ne sait pas très bien épeler ni ponctuer (« mes trucs sont illisibles »), de sorte qu'il donne fréquemment le texte à un ami ou à une dactylo pour le transcrire. Puis il en fait trente, trente-cinq copies et organise une fête dans sa maison. « J'envoie le script à Harvey Weinstein et à d'autres personnes, puis j'invite mes amis à venir récupérer leur copie et nous célébrons l'événement au champagne » explique-t-il après la fête pour *Django Unchained*, commencée à 15 heures et terminée tard dans la nuit. « Toute la journée, les gens viennent récupérer leurs copies, qui ne sont ni marquées ni protégées ou quoi que ce soit, et nous traînons et nous discutons, autour de la nourriture et des boissons. »

À l'intérieur de la maison, des affiches de films sont accrochées partout. Il y a aussi des sculptures en bronze de Mia Wallace (*Pulp Fiction*), de Louis et Mélanie et de Max Cherry (*Jackie Brown*) et de M. Blonde (*Reservoir Dogs*), que Tarantino a commandées à un artiste texan. Une salle intégrée dans une aile de la maison ressemble à un vieux cinéma de quartier, avec un tapis à

« Si j'inventais un personnage
qui ressemble à Quentin,
il serait tapageur, séduisant,
doux, charmant, plus que
vous ne pourriez l'imaginer,
et par-dessus tout, ce serait
un enfoiré dément. »
Paul Thomas Anderson

motifs en formes de diamants, des cordages en velours rouge entre des poteaux en laiton et une cinquantaine de fauteuils rouges, pour les invités. Devant, un canapé rouge où Tarantino se vautre quand il est tout seul. Quand il rentre tard le soir après une double séance, il n'est pas rare qu'il y regarde un troisième voire un quatrième film, la tête renversée en arrière, les yeux écarquillés, la bouche légèrement ouverte.

Personne ne connaît mieux que lui-même les clichés de ses interviews : c'est « un moulin à paroles », « lunatique », « maniaque », « balourd », « gesticulant sans cesse », etc. Mais sa voix peut être étonnamment douce, ses gestes presque féminins, comme quand il caresse la fossette de son menton en discutant. Son ego vrombit fortement, mais ses enthousiasmes, que ce soit pour son travail ou celui d'autrui, sont si débordants, qu'ils résonnent comme un acte de générosité. Il se donne franchement. « Si j'inventais un personnage qui ressemble à Quentin, il serait tapageur, séduisant, doux, charmant, plus que vous ne pourriez l'imaginer, mais par-dessus tout, ce serait un enfoiré dément, a déclaré son ami, le réalisateur Paul Thomas Anderson, à *Vanity Fair*, en 2003. Je choisirais pour le rôle quelqu'un avec de sacrées couilles, une démarche maladroite et un contact doux, tout doux. »

EN HAUT : Prenant sa pose-signature pour Martyn Goodacre, 1994.

EN BAS : Avec son producteur Harvey Weinstein, lors de la première à Hollywood de *Inglourious Basterds*, en août 2009.

EN HAUT : Avec Daryl Hannah, pour qui il a écrit le rôle de Elle Driver dans *Kill Bill* (2003).

Cette douceur ressort surtout avec ses acteurs. Il se réjouit de satisfaire leurs désirs, un peu à la manière d'Oprah Winfrey. Ex-acteur lui-même, il donne l'impression de voir à travers leurs yeux et contourne souvent les canaux formels pour dire à quelqu'un qu'il a écrit un texte pour lui ou pour elle. « Je jouais dans une pièce de théâtre à Londres, et un soir, après la représentation, Quentin est apparu dans ma loge, raconte Daryl Hannah. Il me dit qu'il était venu à Londres spécialement pour me voir jouer et qu'il avait écrit un rôle pour moi. Je ne l'avais jamais rencontré auparavant. Il me raconta qu'il m'avait vu dans un film diffusé sur le câble que je n'avais jamais regardé et dont je ne me souvenais même plus du titre. Je me suis dit : "Hum… Où est la caméra cachée ?" Je ne savais pas si je devais le croire ou non, et puis quelques mois plus tard, il m'a envoyé le scénario, qui était tout simplement génial. »

Avant de prendre sa décision finale, Tarantino aime passer du temps avec un acteur qu'il envisage comme rôle principal dans l'un de ses films. C'est une habitude qu'il a établie après avoir passé une soirée à se saouler avec Tim Roth sur Sunset Boulevard lors du casting de *Reservoir Dogs*. Avant de choisir John Travolta pour *Pulp Fiction*, il a invité un soir l'acteur chez lui. Ils ont fini par chanter ensemble « Vous êtes celui que je veux » aux premières heures de la matinée.

Sur le plateau, Tarantino bondit dans tous les sens et s'adresse à tout le monde, son rire de marteau-piqueur résonnant toutes les quatre-vingt-dix secondes, mais quand il donne des instructions à ses comédiens, il entre en mode complice. « Quentin chuchote ses instructions, ce qui est cool ; on se sent comme un conspirateur », souligne David Carradine, pendant le tournage de *Kill Bill*. « Il est très excité, très concentré sur l'impact des moments qu'il tente de capturer…

il se promène sur le fil du rasoir entre visionnaire obsédé et mère poule radoteuse. » Il est l'un des rares réalisateurs d'aujourd'hui qui n'utilise pas de moniteur vidéo. Il vérifie le cadrage de chaque prise avant qu'elle ne commence, mais reste concentré sur ce qui se passe devant la caméra. Lors du tournage de la mythique scène de danse du Jack Rabbit Slim's pour *Pulp Fiction*, il danse aux côtés de John Travolta et Uma Thurman, juste en dehors du cadre, et applaudit à la fin de la scène. « Pendant treize heures, vous nous avez complètement captivés » dit-il à ses acteurs.

Même pendant les tournages, Tarantino regarde beaucoup de films. « Quentin est le plus grand spécialiste du cinéma que vous puissiez rencontrer et il infuse sa connaissance dans le travail de chaque jour », déclare Brad Pitt à propos du tournage d'*Inglourious Basterds*, sur lequel chaque jeudi était une soirée cinéma, le réalisateur projetant de tout, depuis *Le Bon, la Brute et le Truand* jusqu'à des films de propagande nazie en passant par des perles rares comme *Dark of the Sun (Le Dernier Train du Katanga)*.

Une fois le programme de la semaine bouclé, il aime faire la fête, souvent jusqu'à la fin de la nuit du samedi, ce qui lui laisse le dimanche pour se remettre et être prêt pour le travail le lundi. « Quentin est très déterminé dans sa recherche du plaisir, dit David Carradine. Il la mène avec une fermeté et une rigueur irrésistibles et ne peut pas échouer. » Sur *Kill Bill*, son équipe et lui ont fait le tour des bars de Beijing ouverts toute la nuit et pris de l'ecstasy sur la Grande Muraille de Chine. Sur *Django Unchained*, ils ont écumé les bars de la Nouvelle Orléans. « Il y avait des tonnes de bars, et certains d'entre eux étaient assez sauvages. Nous étions dehors jusqu'à six ou sept heures du matin et puis on dormait toute la journée, on récupérait le dimanche, en regardant peut-être un

Collaborateurs et amis :
Célébrant son étoile sur le Hollywood
Walk of Fame avec Samuel L. Jackson
en 2015 (en haut), aux Critic's Choice
Awards avec Tim Roth en 2011 (en bas
à gauche), pendant la promotion de
Pulp Fiction avec John Travolta en 1995
(en bas à droite).

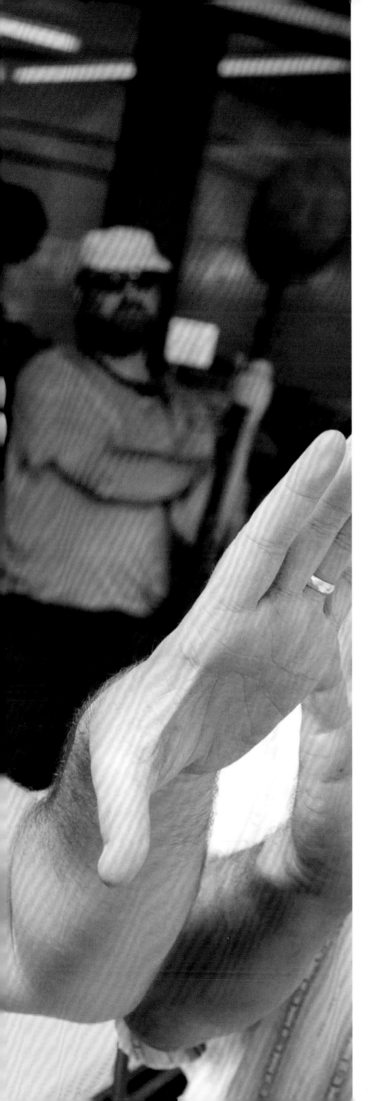

film, et on repartait le lundi, raconte le réalisateur. Quand le week-end arrive, tout ce que je veux faire, c'est dénicher des endroits pour glander. Mettre la clé sous la porte. »

Jusqu'à sa mort subite lors d'une randonnée sous une forte chaleur en 2010 dans Bronson Canyon, Sally Menke a monté tous les films de Tarantino, de *Reservoir Dogs* à *Inglourious Basterds*, dans une maison spécialement aménagée plutôt qu'au studio. Pour *Kill Bill*, leur rythme était devenu si instinctif qu'ils n'ont commencé à en parler qu'après cinq mois de tournage, Sally réalisant le premier montage pendant qu'il continuait à filmer. « Nous sommes un peu mari et femme de cinéma, dit Menke de leur collaboration. La base, avec Tarantino, est le "mix-and-match". Nous analysons d'autres films et d'autres plans, mais seulement pour obtenir l'ambiance dont nous avons besoin pour notre scène, comme dans *Kill Bill*, quand Uma fait face au gang des "Crazy 88". Nous avons regardé des gros plans de Sergio Leone, pour voir comment nous allions monter cette scène. Notre style est d'imiter, pas de rendre hommage, mais il s'agit avant tout de recontextualiser le langage du film pour le rafraîchir dans un nouveau genre. C'est incroyablement minutieux. »

Tarantino est un spectateur passionné. Il a vu *Jackie Brown* treize fois au Magic Johnson lors de sa sortie, a fait le tour de huit cinémas différents autour de Los Angeles dans sa Mustang jaune et

À GAUCHE : Cadrant un plan sur le tournage de *Death Proof (Boulevard de la mort)*, en 2006.

EN HAUT : "Mari et femme de cinéma", Quentin avec son amie et monteuse Sally Menke aux American Cinema Editors Awards, à Beverly Hills, en 2007.

EN HAUT : « Les grands artistes volent, ils ne rendent pas hommage. » Le montage des scènes de combat de *Kill Bill* est modelé sur des gros plans des films de Sergio Leone.

À DROITE : Portrait par Spencer Weiner, 2009.

noire pour évaluer la réaction du public à *Death Proof (Boulevard de la mort)* et il a assisté à 11 heures du matin le jour de Noël à une projection de *The Hateful Eight (Les Huit Salopards)* au Del Amo Mall à Torrance, où il a grandi et où une grande partie de *Jackie Brown* a été tournée. Sa conception de l'expérience cinématographique est paradoxale. D'une part, il la considère comme radicalement subjective : « Si un million de gens voient mon film, je veux qu'ils créent un million de films différents dans leur tête », dit-il, d'où sa réticence à trancher des débats comme la signification du titre *Reservoir Dogs*, ou le contenu de la valise de *Pulp Fiction*. Dans le même temps, il déclare : « J'aime baiser avec vos émotions, et j'aime qu'on me baise. C'est mon truc. Le public et le réalisateur sont dans une relation sadomasochiste, et le public est le masochiste. C'est excitant ! Lorsque tu sors et que tu manges une tarte après, tu as de quoi raconter. Tu es allé au cinéma ce soir ! »

C'est la tension générée par ces deux positions : le réalisateur sadique génial, tirant sur la chaîne du public, et le réalisateur amant, tendre, nourrissant sa subjectivité, qui fait de lui le cinéaste qu'il est. Il dirige depuis le premier rang. « Je suis d'abord et avant tout un passionné de cinéma » a-t-il expliqué dans ses interviews quand il a été révélé par *Reservoir Dogs* en 1992. Il dit aussi : « Je suis d'abord et avant tout un geek du cinéma. » Là où la plupart des réalisateurs le diraient avec une note d'autodérision indulgente pour leurs jeunes apprentis, Tarantino le revendique comme une médaille épinglée sur sa poitrine. Il se voit d'une certaine manière comme un fan de cinéma avant de se voir comme un réalisateur.

Tout en travaillant chez Video Archives, une boutique de location de vidéos sur Manhattan Beach, Tarantino recueillait dans les mois précédant la sortie d'un nouveau Brian De Palma – *Scarface* en 1983, par exemple, ou *Body Double* en 1984 – les coupures de presse sur le film, qu'il collait dans un cahier. Le jour où le film sortait, il assistait à la première séance, à midi, tout seul,

puis, l'intrigue mise de côté, il y retournait à minuit avec un ami. « De dix-sept à vingt-deux ans, j'avais l'habitude de faire une liste numérotée de tous les films que je voyais dans l'année, y compris les reprises, a-t-il dit récemment. Si c'était une nouvelle version, j'entourais le numéro. Et je choisissais mes films préférés pour leur attribuer mes propres petites récompenses. Le nombre de films était toujours à peu près le même chaque année, entre 197 et 202. Et c'était quand j'étais fauché et que je payais moi-même mes places. Á mon époque de cinéphilie la plus vorace, 200 films par an était la moyenne. »

Tournant *À bout de souffle* en 1960 avec une caméra Arriflex légère sur un chariot, Godard a explosé la syntaxe des films de gangsters américains et l'a refaçonnée dans sa propre mise en forme personnelle de jazz cinématographique, mettant au monde un modèle pour les films indépendants. Tarantino fera quelque chose de similaire avec *Reservoir Dogs* et *Pulp Fiction*, mêlant violence explosive, plans longs et dialogues hilarants à propos de tout et n'importe quoi, des hamburgers à Madonna, inaugurant une nouvelle phase du cinéma indépendant, celle des films à 100 millions de dollars. « Miramax a été construite par Quentin Tarantino, dit Harvey Weinstein, l'un des frères qui ont fondé la maison de production et à qui Tarantino est fidèle depuis ses débuts. En raison de sa stature, il a carte blanche. » Il se tient, selon les mots de l'écrivain Clancy Sigal, « au carrefour de Hollywood où se rencontrent le rire coupable et la brutalité sadique. »

Comme chez Godard encore, ses films brillent par des emprunts, des références et des hommages à d'autres films, citant un dialogue ici, une scène là, empruntant un personnage à un film, une situation à un autre, avant d'exécuter brutalement un virage à 180° qui laisse le cliché dans le vide. « Appelez cela plagiat ou intertextualité, comme vous voulez, mais Tarantino a la capacité de faire sonner à sa manière quoi que ce soit » dit James Mottram, dans son livre *The Sundance Kids*. En 1993, Graham Fuller

« Je ne me
considère pas
seulement comme
un réalisateur,
mais comme un
homme de cinéma
qui peut choisir ce
qu'il aime dans le
monde merveilleux
de tous les films
existants et
mélanger des choses
qui n'ont jamais été
mélangées. »

> **«Il y a si longtemps que, pour moi, le cinéma est la première chose dans ma vie que je ne peux pas me souvenir d'une époque où j'ai vu les choses autrement.»**

EN BAS : Tarantino interprète souvent un personnage secondaire dans ses films, comme ici M. Brown dans son premier film important, *Reservoir Dogs*, en 1992.

décrit Tarantino comme «un auteur pas tant postmoderne, mais *post*-postmoderne, car il est fiévreusement intéressé par les artefacts de la culture populaire et les idées qui ont déjà connu des incarnations antérieures ou qui ont déjà été médiatisées ou prédigérées. Il ne le fait pas seulement pour montrer à quel point il est futé d'arriver à faire ces connexions, ou pour féliciter le public de sa complicité dans la blague, mais pour que chacun puisse se plonger dans ce jeu de jonglage. Il veut, avant tout, *jouer*.»

«Au cours des dix premières minutes de neuf films sur dix, et cela vaut aussi pour beaucoup de films indépendants, le film lui-même vous explique quel genre de film il va être, a expliqué Tarantino. Il vous décrit l'essentiel de ce que vous avez besoin de savoir. Et après ça, quand il se prépare à faire un virage à gauche, le public commence à pencher vers la gauche. Quand il se prépare à faire un virage à droite, le public se déplace vers la droite. Quand il est censé les sucer, ils se rapprochent. Vous savez exactement ce qui va se passer. Vous ne savez pas que vous savez mais vous savez. Certes, il y a beaucoup de plaisir à agir contre ça, à faire sauter la voie ferrée que nous ne savons même pas que nous suivons, en utilisant les propres préjugés inconscients d'un public contre lui-même pour que les spectateurs aient une vraie expérience de vision, pour qu'ils soient véritablement impliqués dans le film. Oui, je suis intéressé à faire ça, comme un conteur. Mais le battement de cœur du film doit être un rythme cardiaque humain.»

À son apparition sur scène, les réactions de la critique à Tarantino ont été immédiates, unanimes, et à peu près entièrement erronées : ici, ont-ils écrit, on a un maître insensé du spectacle sanglant, un charmeur de la destruction au cinéma qui réalise des films ultra-violents sans aucun lien avec le monde réel. Critique après critique, on répétait le même mantra : la violence, la violence, la violence. Et : aucun lien avec la réalité. Le critique David Thomson a écrit : «Tarantino ne semble pas connaître, et encore moins vivre, la vie à laquelle font allusion les films [de Howard Hawks]. Ses personnages sont tous pris chez des acteurs ou des élèves de cours de théâtre. Il y a fort à parier que Tarantino n'a pas connu – ou fort peu – de gangsters. Il n'a certainement jamais vu de tête coupée. Mais il chérit chaque loubard de l'histoire du cinéma américain.» La charge a été tellement ressassée que même certains de ses collègues ont commencé à la répéter. «Le seul problème que les gens ont avec le travail de Quentin est qu'il parle d'autres films au lieu de la vie,

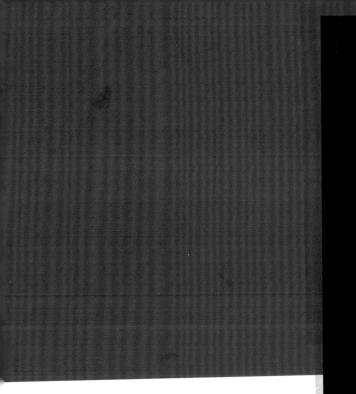

a déclaré son coscénariste sur *Pulp Fiction*, Roger Avary. La grande ruse, c'est de vivre sa vie, et ensuite de faire des films sur cette vie. »

Pour être juste, Tarantino a poussé et encouragé ce mythe lui-même, appâtant les intervieweurs avec des déclarations comme : « Pour moi, la violence est un sujet tout à fait esthétique et dire que vous n'aimez pas la violence dans les films, c'est comme dire que vous n'aimez pas les scènes dansées dans les films », ou encore : « Je ne sais même pas ce que veut dire injustifié. »

Mais une vie passée à regarder des films est quand même toujours une vie. Les films de Tarantino sont beaucoup plus marqués par des détails de son expérience que les gens le pensent, ce qui n'est pas tout à fait la même chose que de dire qu'ils sont autobiographiques. Il fait nettement la distinction entre ses films comme *Kill Bill*, situé dans l'« univers du cinéma-cinéma, où les conventions cinématographiques sont chéries, presque fétichisées, et l'univers, à l'opposé, de *Pulp Fiction* et *Reservoir Dogs,* dans lequel la réalité et les conventions du cinéma entrent en collision. » Son œuvre résonne du choc de cette collision. Les intrigues dévient subitement à 90 degrés, des évènements purement cinématographiques sont balancés sur des personnages de la vraie vie qui flippent, se chamaillent, perdent de vue l'intrigue, ou encore ratent tout parce qu'ils sont aux toilettes. Les revolvers s'enrayent, un grille-pain déclenche une tuerie, les voleurs n'arrivent pas à s'entendre sur la couleur des noms de code qu'ils vont choisir. Et les spectateurs rient en s'y identifiant, non pas parce qu'ils ont déjà commis un vol de diamants, ou abattu quelqu'un au déclenchement d'un grille-pain, mais parce que, quand les personnages ouvrent la bouche, ça donne ça :

EN HAUT : En 2007 dans le cinéma qu'il vient d'acheter, le New Beverly Cinema, dans Los Angeles West, où il continue à proposer des programmations mensuelles de films exclusivement sur pellicule.

EN HAUT : Tarantino est réputé pour ses dialogues mémorables, comme celui entre Jules et Vincent dans *Pulp Fiction*, un échange comique sur des sujets banals juste avant qu'ils jouent leurs rôles de tueurs.

VINCENT

In Paris, you can buy beer at MacDonald's. Also, you know what they call a Quarter Pounder with Cheese in Paris?

JULES

They don't call it a Quarter Pounder with Cheese?

VINCENT

No, they got the metric system there, they wouldn't know what the fuck a Quarter Pounder is.

JULES

What'd they call it?

VINCENT

Royal with Cheese.

JULES

Royal with Cheese. What'd they call a Big Mac?

VINCENT

Big Mac's a Big Mac, but they call it *Le* Big Mac.

JULES

What do they call a Whopper?

VINCENT

I dunno, I didn't go into a Burger King.

En V.F. :

VINCENT

À Paris, on peut boire de la bière dans les MacDonald's. Et tiens, devine comment ils appellent un *Quarter Pounder with Cheese*, à Paris ?

JULES

Pas un *Quarter Pounder with Cheese* ?

VINCENT

Mon cul ! Ça a pas de sens, *quarter pounder*, avec leur système métrique.

JULES

Ben, alors quoi ?

VINCENT

Ils disent Royal Cheese.

JULES

Ah ouais, Royal Cheese. Et, un Big Mac ?

VINCENT

Un Big Mac, c'est un Big Mac, mais ils disent « LE » Big Mac.

JULES

« LE » Big Mac ! Et comment ils disent le Whopper ?

VINCENT

J'en sais rien, je suis allé dans aucun Burger King.

C'est le décalage de la dernière réplique qui est vraiment fort, dans cet échange. En deux occasions, j'ai vu *Pulp Fiction* au milieu d'un public payant, et la phrase de Vincent provoque un éclat de rire au moins aussi grand que les répliques qui le précèdent. Un auteur moins original que Tarantino lui aurait donné une chute brillante, dans le même ton que le reste, mais l'oreille de Tarantino cherche toujours à rester fidèle aux petits hoquets et aux ratés étranges qui parsèment nos conversations de tous les jours.

«Peut-être que son plus grand apport en tant que scénariste est son immersion complète dans le plaisir qu'il prend à écouter les gens parler, a écrit le critique Elvis Mitchell, en particulier les personnes qui ont une grande confiance en leur manière de s'exprimer, un peu à la Robert Towne, un peu à la Chester Himes et un peu à la Patricia Highsmith. »

Il y a, en d'autres termes, beaucoup de réalité dans Tarantinoland, mais sûrement pas dans l'ambiance pop art lumineuse de ses films ni dans l'assemblage des clins d'œil aux stéréotypes des films de genres. Elle ressort chaque fois que l'un de ses personnages ouvre la bouche. Ses films sont des comédies noires sur le gouffre entre le cinéma et la réalité, où la réalité est amenée par la manière dont les gens parlent. Comme toutes les idées révolutionnaires, la perspicacité de Tarantino semble évidente aujourd'hui, et elle repose sur une observation assez simple. « La plupart d'entre nous ne parlent pas de l'essence de nos vies, a-t-il noté une fois. Nous parlons autour des choses. Nous parlons de conneries. Et nous parlons des trucs banals qui nous intéressent. Les gangsters ne parlent pas seulement d'affaires de gangsters, de leurs balles, de leurs assassinats, de tuer. Ils parlent de ce qu'ils ont entendu à la radio, ils parlent du poulet qu'ils ont mangé dans la soirée, ils parlent cette fille qu'ils ont rencontrée. »

C'est vrai. Les truands du Parrain (1972) ne s'assoient pas en rond pour parler des paroles de leurs chansons préférées. Les Affranchis de Scorsese (1990) ne se disputent pas à propos de leurs émissions de télévision préférées, bien que la discussion de la piscine sur le sens du mot mook dans Mean Streets (1973) soit un précurseur évident des dialogues de rue de Tarantino. Avant ses films, on n'allait pas au cinéma pour voir ce que Tarantino et ses amis ont amené. À la fin des années 1980, cependant, avec la révolution de la vidéo et du home cinéma, la culture populaire a atteint un tel niveau de pénétration dans la vie

des gens qu'on commençait à voir apparaître sur les radars des idées de ce genre. Dans Seinfeld, en 1990, on pouvait entendre Jerry et George débattre du sens de l'humour de Superman : « Je ne l'ai entendu dire quoi que ce soit de vraiment drôle ». En 1988, dans Die Hard (Piège de cristal), Hans Gruber (Alan Rickman) raille John McClane (Bruce Willis) : « Un autre orphelin d'une culture en faillite qui se prend pour John Wayne ou Rambo ? » Ce à quoi McClane répond : « J'ai toujours été un peu comme Roy Rogers en fait… Yippee-ki-yay, pauvre con ! » Le dialogue le plus tarentesque que Tarantino n'a pas écrit.

« Il semble penser en osmose avec le public. Il a saisi à quel point nous en avons assez des scénarios boiteux qui se déflorent en deux minutes », écrit Sarah Kerr dans sa critique de Pulp Fiction pour la New York Review of Books. Tarantino a court-circuité l'air du temps du milieu des années 1990 d'une manière qu'aucun cinéaste n'a reproduit depuis, il a réaccordé les oreilles des cinéphiles, avec son dialogue follement divertissant et férocement profane, d'une manière comparable à David Mamet pour les spectateurs de théâtre des années 1980, introduisant l'idée que la violence peut être drôle pour le grand public et surimpressionnant toute une génération de cinéastes. Dans les années d'après Pulp Fiction, on ne pouvait pas manquer l'explosion de films mettant en vedette des personnages commettant des crimes sur fond de culture populaire, de Bad Boys (Flics de choc) à The Usual Suspects (Usual Suspects) en passant par Love and a .45 (L'Amour et un .45), Lucky Number Slevin (Slevin) ou Too Many Ways to Be No.1. « Vous auriez eu du mal à trouver un café, une bibliothèque publique ou une banquette arrière d'un break dans le sud de la Californie où des scénaristes ne singeaient pas son gribouillage home made, a noté le critique Elvis Mitchell, voûtés sur des blocs-notes et des cahiers de composition, dans des positions qui provoquent des contractures et des tensions

EN BAS : Tarantinesque… Des films inspirés par Tarantino : The Usual Suspects (Usual Suspects) de Bryan Singer (1995) et Lucky Number Slevin (Slevin) de Paul McGuigan (2006).

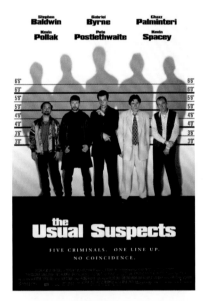

À GAUCHE : Le réalisateur-star
au Festival de Cannes 2008.

musculaires qu'il faudra faire manipuler
par des chiropracteurs du Westside, essayant
de reproduire dans leur propre travail la
marque de fabrique Tarantino, avec sueur et
tâches de caféine, version cinématographique
des chaussures prévieillies de Martin Margiela. »

La vague d'imitateurs a reculé de nos
jours. Vingt-cinq ans après *Reservoir Dogs*, la
controverse sur sa violence semble presque
pittoresque. Les critiques considéraient ce film
comme juste un « exercice flashy, stylistiquement
audacieux, dans le chaos cinématographique ».
Ils allaient voir avec *Kill Bill*.

Tarantino est un cinéaste différent aujourd'hui,
qui a remplacé la comédie rusée et déconstruite
de ses premiers films par le burlesque exubérant
de films de genre en costumes d'époque, comme
Inglourious Basterds et *Django Unchained*,
resucées affreusement sadiques de films de
série B, qui trouvent leur réalité non plus dans
les mots de leurs personnages mais dans les
cruautés d'une l'Histoire remixée et redressée
par Quentin Tarantino. L'ancien enfant terrible
est dans la cinquantaine et il a reçu deux Oscars.
Il fait maintenant partie du fonds d'où il tirait,
autrefois, ses citations.

« Je ne suis plus un étranger à Hollywood »
a-t-il déclaré lors d'une projection de *Django
Unchained* à la Director's Guild, une institution de
Hollywood à laquelle il a glorieusement résisté
pendant les deux premières décennies de sa
carrière. « Je connais beaucoup de monde ici. Je
les aime bien. Ils m'aiment bien. Je pense que je
suis un excellent membre de cette communauté,
à la fois en tant que personne et dans le cadre
de mon travail et de mes contributions. En 1994,
je pense qu'ils étaient tous très impressionnés
par moi, c'était cool, mais je me sentais comme
un étranger, un franc-tireur punk, et j'espérais ne
pas tout faire foirer. Je fais toujours les choses
à ma façon, mais je ne suis pas parti, non plus.
J'ai encore la sensation que j'essaie toujours de
prouver que je suis d'ici. »

Voici les films qui le prouvent.

LES JEUNES ANNÉES

À GAUCHE : À vingt-neuf ans, sur le tournage de son premier long-métrage, *Reservoir Dogs*, en 1994.

« **J**e voulais un nom qui remplisse tout l'écran », dit Connie McHugh, la mère de Tarantino, qui a fait tout ce qu'elle pouvait pour mettre beaucoup de distance entre elle et sa famille rustre d'ouvriers *rednecks* du Tennessee. Son père avait un garage et était violent, sa mère était alcoolique. Infirmière stagiaire à Cleveland, Ohio, elle est partie en Californie à la première occasion pour vivre chez une tante et avait juste quinze ans quand elle a rencontré Tony Tarantino, un bon à rien qui se croyait acteur et se vantait d'avoir suivi des cours à la Pasadena Playhouse tout en faisant de l'équitation à Burbank. Elle l'épouse pour partir de la maison, sans lui dire qu'elle n'avait que quinze ans, mais leur relation ne dure que quatre mois. Il l'avait déjà quittée quand elle a su qu'elle était enceinte. « Son père ne savait même pas que Quentin était né », a déclaré Connie, qui a nommé l'enfant

« Je suis issu d'un couple mixte : ma mère est le cinéma d'art et d'essai, alors que mon père est le cinéma de série B. Ils sont séparés et j'essaie de toutes mes forces de les remettre ensemble, dans tous mes films, à un niveau ou à un autre. »

À GAUCHE : Le père de Quentin, Tony Tarantino, en 2015.

À DROITE : Drôle de parrainage : Quint Asper, personnage de *Gunsmoke* (en haut) et Miss Quentin Compson, l'une des deux Quentin du roman de William Faulkner *Le Bruit et la Fureur* (en bas).

selon ses personnages de fiction préférés, Quint Asper, qu'a interprété Burt Reynolds dans la série *Gunsmoke* et Quentin Compson, nom porté par deux personnages (oncle et nièce) dans le roman *Le Bruit et la fureur* de William Faulkner. Drôle de parrainage ! Un prix Nobel de littérature et la star de *Smokey and the Bandit (Cours après moi shérif)*. Dès le début, il rebat les cartes.

On est déjà dans un film de Tarantino, depuis ce mariage incongru de William Faulkner et Burt Reynolds jusqu'à la figure de la mariée adolescente délaissée dès l'autel, son enfant élevé en secret. On n'est pas loin de *Kill Bill*, dans lequel la Mariée (Uma Thurman), laissée pour morte à son propre mariage, croyant son propre enfant à naître également mort, se lance dans une série de vengeances sanglantes qui l'amène finalement à la porte de son ex-amant et soi-disant « père de la mariée », Bill. L'intrigue fait des clins d'œil à des dizaines de films de samouraïs et de kung-fu, ainsi, mais aussi au manga *Lady Snowblood* adapté au cinéma par Toshiya Fujita, où une jeune femme nommée Yuki, née en prison est formée aux arts martiaux par un moine bouddhiste pour se venger des quatre individus qui ont assassiné son père et violé sa mère. C'est bien la méthode Tarantino : intégrer l'intime au

général comme une série de poupées russes. «Mes films sont douloureusement personnels, mais je ne souhaite pas vous montrer de quelle manière ils le sont. J'utilise des éléments personnels, mais je les dissimule, de manière à ce que seuls moi-même ou les gens qui me connaissent vraiment sachions combien ils sont personnels. *Kill Bill* est un film *très* personnel. Ce n'est pas l'histoire de tout le monde. Mon travail, c'est d'investir l'histoire et de me cacher à l'intérieur d'un style de cinéma. Peut-être qu'il y a des métaphores qui correspondent à des choses qui se sont passées dans ma vie, ou peut-être qu'il n'y a rien que ce que ça montre. Mais de toute façon, c'est enterré dans le style, ce n'est pas : "comment j'ai grandi pour écrire ce roman". Ce qui se passe en moi au moment de l'écriture va trouver son chemin dans l'histoire. Si ça ne se produit pas, alors qu'est-ce que je fous là ?»

Beaucoup de ses films vont revisiter le motif de la vengeance et le thème du père, et même ceux qui ne le feront pas se confronteront avec l'effronterie d'un adolescent sans laisse, sans père pour lui montrer les bornes, lui apprendre les règles. Il le trouvera dans les films. Ses propres films seront fascinés par une forme particulière de masculinité, hyperviolente, presque caricaturale,

EN HAUT : Le réalisateur de
Rio Bravo, Howard Hawks,
a été l'une des premières
influences du jeune Quentin.

remplie de fanfaronnades sauvages, de menaces baroques et de soi-disant codes – codes qu'il se plaira alors à mettre à nu, soumis à une déconstruction et à une humiliation sans pitié.

« D'une manière étrange, quand vous avez grandi essentiellement sans père, vous allez le chercher dans d'autres endroits, dit-il. Vous êtes déchiré dans toutes ces directions différentes. Quand j'étais enfant, j'aimais totalement refuser tout ce qu'on me prescrivait, de bon ou mauvais. Je voulais trouver ce qui était bon et ce qui était mauvais dans mon propre cœur. Et puisque je n'ai pas eu quelqu'un pour me montrer le chemin, je suis allé le chercher, et d'une certaine manière je suppose que je l'ai trouvé dans les films d'Howard Hawks. J'ai perçu l'éthique qu'il proposait dans ses films, sur les hommes et leurs relations les uns avec les autres et avec les femmes… Une fille avec qui j'en parlais me dit que j'avais trouvé le bon type. Il a fait un meilleur travail sur moi que bien des pères l'auraient fait. Je ne veux pas creuser tout cela dans mes films, mais je suppose que ça finira par remonter à la surface. »

Pendant quelques années, Connie garde l'enfant avec sa mère qu'elle soigne, dans le Tennessee, tout en suivant une formation d'infirmière, mais à dix-neuf ans, elle obtient un emploi dans le cabinet d'un médecin à Hacienda Heights, à Los Angeles et rencontre dans un piano-bar de Monrovia Court son second mari, un musicien de vingt-cinq ans, Curt Zastoupil, un gars à barbiche portant veste et tee-shirt

miteux, qui conduit un coupé Volkswagen Karmann Ghia cool.

Ils se marient, déménagent à Manhattan Beach, banlieue pour classe moyenne au sud de l'aéroport, et récupèrent Quentin, un lumineux enfant précoce hyperactif de deux ans et demi qui préfère la compagnie des adultes. Il essaie de lire chaque panneau publicitaire pendant le trajet de trois jours de Knoxville et à Los Angeles. Il adore son nouveau beau-père, insiste pour prendre son nom, est obsédé par l'idée de faire une photo avec lui dans un photomaton et porte ses bottes de randonnée à l'école.

« Nous étions en fait un groupe d'enfants qui vivait ensemble », dit Connie, qui a invité le frère cadet de Curt, Cliff, et son jeune frère, Roger, à vivre avec eux pendant un certain temps. C'est une équipe masculine bigarrée qui sert de baby-sitter à Quentin quand sa mère trouve un travail dans la compagnie d'assurance médicale Cigna. « Mon frère disait que c'était comme être élevé à Disneyland, continue Connie. Quand j'étais à la maison avec Quentin, notre vie tournait autour de lui. Nous avions des faucons pour la chasse. Nous avons été jetés dehors d'un appartement à cause de notre passe-temps. La chasse au faucon scandalisait sur un balcon. Mon mari était très éclectique. Nous avions des amis éclectiques. On n'a jamais laissé Quentin avec une baby-sitter. Quand nous allions tirer à l'arc, il venait avec nous. Nous l'avons emmené voir chaque film avec nous, sans regarder s'il était approprié ou non, à partir

de ses trois ans. » Âgé de six ans, il a vu dans une double séance l'ultra-violent western *The Wild Bunch (La Horde sauvage)* de Sam Peckinpah (1969) et le film d'aventure qui vire à l'horreur *Deliverance (Délivrance)* de John Boorman (1972). « J'étais mort de trouille, raconte Tarantino. Est-ce que j'ai compris que Ned Beatty se faisait sodomiser ? Non, mais je savais que ce n'était pas une partie de plaisir pour lui. » Il découvre la comédie douce-amère sur la guerre des sexes de Mike Nichols, *Carnal Knowledge (Ce Plaisir qu'on dit charnel)* (1971), quand il a huit ans. Lors de la scène dans laquelle Art Garfunkel supplie Candice Bergen d'avoir des relations sexuelles avec lui : « Viens, faisons-le, faisons-le ! », il lance du fond de la salle : « Qu'est-ce qu'il veut lui faire, maman ? », faisant crouler la salle de rire.

« Ma mère et ses amis m'emmenaient dans des bars cool où on jouait du rythm n' blues sympa et où je buvais des Shirley Temple (cocktail sans alcool composé de grenadine, ginger ale et limonade – NdT), que je renommais James Bond parce que je n'ai jamais aimé Shirley Temple, en mangeant de la nourriture mexicaine tandis que Jimmy Soul et son groupe jouaient. C'était un cocktail lounge style années 1970, vraiment cool. Ça m'a vraiment fait grandir. Quand je traînais avec des enfants, je les trouvais vraiment… gamins. J'avais pris l'habitude de traîner avec des adultes vraiment géniaux. »

Quand il a neuf ans, sa mère et Curt divorcent. Quentin rentre de l'école pour trouver la maison

EN HAUT : Des films qu'il a vus très jeune : *Carnal Knowledge (Ce Plaisir qu'on dit charnel)* de Mike Nichols et *Deliverance (Délivrance)* de John Boorman.

À GAUCHE : Manhattan Beach, en Californie, lieu des années de jeunesse de Tarantino.

À DROITE : Sans figure de père pour le guider, Tarantino a passé des heures d'école buissonnière devant la télévision. Il le mettra en scène avec le jeune Butch de *Pulp Fiction*.

vide. Curt a disparu. Connie ne veut pas en parler. Quentin se plonge dans les bandes dessinées. Ils sont brisés. Quand un professeur de théâtre trouve son nom « cool » (il a gardé le nom de son beau-père), il revient à Tarantino.

Il écrit des saynètes depuis qu'il a 11 ou 12 ans, un pastiche de Burt Reynolds sur le modèle de *Smokey and the Bandit (Cours après moi shérif)*, baptisé *Captain Peachfuzz and the Anchovy Bandit*, un autre inspiré par son engouement pour Tatum O'Neal, la star adolescente précoce dont il colle les photos partout dans son casier, à l'école. « Il m'écrivait des histoires de Fête des mères, de petits drames, raconte Connie. Chaque année, je recevais mon histoire. Mais il me tuait toujours dans l'histoire. Et puis il me disait à quel point il se sentait mal que je meure et combien il m'aimait. »

La relation entre la mère et le fils se détériore. Après un déménagement dans le sud de la ville, dans le quartier de South Bay, déprimant étalement de maisons bon marché coincé entre les plages de riches et un quartier de gangs dangereux à l'est. Elle l'inscrit dans une autre nouvelle école, mais il commence à sécher les cours, se cache dans la salle de bains jusqu'à ce que sa mère parte travailler, puis passe le reste de la journée à la maison, à lire des bandes dessinées et à regarder la télévision. Connie rentre à la maison pour l'entendre reproduire

avec ses G.I. Joe, en hurlant des insanités, les bagarres des films de kung-fu qu'il a vus au cinéma de Carson. « Ce n'est pas moi, maman, c'est G.I. Joe ! » criait-il dans les escaliers quand elle se plaignait de son langage. « Il dormait toute la journée, regardait la télévision toute la nuit et griffonnait sur du papier. Pardonnez-moi, mais je n'ai pas vu alors qu'il était génial. Je pensais qu'il évitait les responsabilités de la vie dans un monde de rêves. Rien n'était important à ses yeux, sauf les films et Hollywood. Il me rendait folle. »

Il cesse d'aimer l'école peu de temps après la maternelle, incapable de se concentrer, ennuyé par tout sauf l'histoire, qui le ramène vers les films. Enfin, à quinze ans, il abandonne. « Ils ont appelé ma mère, et quand elle m'a demandé, j'ai dit : "Ouais, je quitte l'école" a-t-il raconté. Quelques jours plus tard, elle m'a dit : "Je te laisse arrêter l'école, mais tu dois trouver un travail." »

À quinze ans, il traîne tard le soir, boit, finit par se mettre dans les ennuis, vole à l'étalage un roman d'Elmore Leonard et est pris par la police. Connie le prive de sorties tout l'été, qu'il passe à lire dans sa chambre. Il finit par lui demander de l'inscrire à l'école de théâtre James Best, à Toluca Lake, du nom d'un ancien élève de l'école, connu pour son interprétation du shérif Roscoe P. Coltrane dans la série télévisée *The Dukes of Hazzard (Shérif, fais-moi peur)*. Habillé comme

« Mes films sont douloureusement personnels, mais
je ne souhaite pas vous révéler de quelle façon ils le sont.
J'utilise des éléments personnels, mais je les dissimule,
de manière à ce que seuls moi-même ou les gens qui me
connaissent vraiment sachions combien ils sont personnels. »

« **Mes parents disaient : "Oh, il sera réalisateur un jour" mais je ne savais pas ce que ça voulait dire. Je voulais être acteur, parce que tous les enfants ont envie de faire du cinéma.** »

À DROITE : L'acteur et producteur Jack Lucarelli, ici au Beverly Hills Film Festival en avril 2010, a été son professeur de théâtre et l'a initié à l'industrie du cinéma. Plus tard, il jouera un tireur dans *Django Unchained*.

un membre de gang, veste en cuir, bandana et boucle d'oreille, il se livre à de longues discussions avec son professeur Jack Lucarelli, essayant de le convaincre des talents de Sylvester Stallone. Un ami étudiant, Rich Turner, le ramène chez lui, mais il se fait toujours déposer sur une bretelle de la 405. «Il disparaissait sur le côté de l'autoroute, se rappelle Turner. Je n'ai jamais pu voir sa maison.»

Mentant sur son âge, il obtient un emploi de portier dans un cinéma Pussycat, un cinéma… porno. «Pour moi, la situation était totalement ironique : j'avais finalement obtenu un emploi dans une salle de cinéma et je n'avais pas le droit de regarder les films.» Il travaille ensuite sur une étude de marché pour un centre commercial de Torrance, près de chez lui, puis comme chasseur de têtes pour une entreprise avec des clients dans l'industrie aérospatiale, avant de trouver son chemin vers Video Archives à Manhattan Beach. Situé dans un mini-centre commercial à proximité d'une intersection fréquentée sur Sepulveda Boulevard, c'était un petit magasin dans lequel les clients avaient à peine assez de place pour passer

dans les allées. Des films passaient sur les écrans à longueur de journée. Le personnel regardait ce qu'il voulait, du Pasolini s'ils en avaient envie. «C'était l'endroit le plus cool que j'avais jamais vu de ma vie, dit-il. C'était vraiment trop formidable. J'y ai perdu toute ambition pendant trois ans.»

Quand l'un des employés part, en 1985, Roger Avary persuade le propriétaire du magasin d'engager Tarantino, alors âgé de vingt et un ans. Il ne faut pas longtemps avant qu'il organise des mini-festivals de films pour les clients et se serve de deux étagères comme vitrine pour certains de ses sous-genres préférés : «Deux garçons et une fille» : *Jules et Jim, Bande à part, A Girl in Every Port (Une Fille dans chaque port)*, film muet d'Howard Hawks de 1928 ; «Un groupe de gars en mission» : *Where Eagles Dare (Quand les aigles attaquent), The Guns of Navarone (Les Canons de Navarone)* ; «Le professeur que je n'oublierai jamais» : *To Sir With Love (Les Anges aux poings serrés), Dead Poets Society (Le Cercle des poètes disparus)* ; «Mère Nature en folie» : *Frogs (Les Crapauds), Willard, Night of the Lepus (Les Rongeurs de l'apocalypse)*.

EN HAUT : Il a obtenu son premier emploi dans un cinéma porno Pussycat, où il ne pouvait même pas voir les films !

« Quand je fais un film, j'espère réinventer le genre, au moins un peu. Je poursuis mon chemin. Je crée ma propre version, celle du petit Quentin. Je me considère comme un étudiant en cinéma. J'avance dans mes études de profeseur en cinéma, et le jour où je mourrai sera le jour de mon diplôme de fin d'études. Ce sont des études de toute une vie. »

« Quand on me demande
si j'ai fréquenté des écoles
de cinéma, je réponds :
"Non, j'ai été au cinéma." »

PAGES PRÉCÉDENTES : Toujours obsédé
par les films, on le retrouve ici dans
un vidéo club de Glasgow, en Écosse,
au début des années 1990.

EN BAS : « Quentin est une base de
données. » Juste quelques-uns des très
nombreux films que Tarantino a étudié
en travaillant à Video Archives.

« Chaque semaine, je changeais : semaine David
Carradine ou semaine Nicholas Ray ou semaine
de films de cape et d'épée… La plupart du temps,
je tentais de m'adapter au client : une femme au
foyer vient et, disons, elle veut quelque chose. J'ai
vingt-quatre ans et elle cinquante-quatre, donc
je ne vais pas essayer de lui louer *Eraserhead*,
Forbidden Zone ou un film de kung-fu. Si elle
aime Tom Hanks ? Je ne vais pas l'orienter vers
Bachelor Party (Le Palace en délire), mais vers
Nothing in Common (Rien en commun) : "Avez-
vous vu *Rien en commun* avec Tom Hanks et
Jackie Gleason ?" »

Video Archives est beaucoup plus qu'un simple
travail. « Le magasin était mon *Village Voice* et

j'étais Andrew Sarris », a déclaré Tarantino, le lieu où il a aiguisé ses goûts et codifié ses règles personnelles, et plus encore. Il sera un jour célèbre pour la justesse de son écoute et de sa restitution des discussions de tous les jours et en particulier du bruit des argumentaires pédants sur les subtilités de la culture populaire.

C'est à Video Archives qu'il affine son oreille, qu'il cultive la majorité de ses arguments et ses stratégies rhétoriques, qu'il développe son concept des *hang-on movies,* ces films qu'on aime voir et revoir et revoir encore, juste parce qu'on aime passer du temps avec leurs personnages.

« Au jeu du "qui en sait plus ?", dit Roger Avary, il gagnait toujours. Quentin est une base de données. J'ai décidé, il y a longtemps, de renoncer à la lutte. » Au bout de trois ans,

cependant, même Tarantino commence à ronger son frein, se demandant s'il allait passer toute sa vie à parler des films plutôt que d'en faire. Son ambition refait surface et à un moment donné, il réunit même tout le personnel pour leur proposer une prise de contrôle du magasin par ses employés. « "Allez voir vos parents et empruntez-leur 6000 dollars, vous et vous et vous… Tout cela est légitime." Personne n'a suivi. J'ai adoré l'endroit. Je m'y suis vraiment, vraiment investi. En fait, si nous avions repris le magasin, je n'aurais pas fait *Reservoir Dogs.* Je travaillerais encore à Video Archive et j'en serais le patron. »

Comme l'a noté Roger Avary : « Pour Quentin, soit il avait beaucoup de succès, soit il restait employé d'un magasin de vidéos. Il n'y avait rien entre les deux. » Il est temps pour ce randonneur de commencer sa marche.

EN HAUT : Du vidéo club aux Oscars. Quentin Tarantino et Roger Avary reçoivent l'Oscar du meilleur scénario pour *Pulp Fiction* en 1995.

À GAUCHE : Les acteurs de
True Romance en promotion
du film, 1993.

EN BAS : Christian Slater dans
True Romance. Tarantino a créé
un personnage de fugitif fan de
cinéma très proche de lui-même.

LES SCÉNARIOS

Une nuit, Tarantino est chez son copain d'école de théâtre Craig Hamann, dans la vallée de San Fernando, en train de boire des Black Russians en regardant des rediffusions de la série *Miami Vice (Deux Flics à Miami)*, quand, dans le seizième épisode de la troisième saison, *Theresa*, une Helena Bonham Carter de vingt ans apparaît dans le rôle de la petite amie héroïnomane de Crockett.

« Waouh ! lança Hamann. Comment ils ont fait pour l'avoir ?

– Bon sang, regarde ce plan large, dit Tarantino. Mais ils le ruinent avec un plan de coupe minable… Hey, Craig, il faut qu'on fasse notre film à nous, mec !

– Cool, Quint. Mais comment on va le payer ? »

Ils sont trop blindés pour avancer cette nuit-là, mais dès le lendemain matin, Tarantino revient à la charge au téléphone.

« On doit faire ce film, Craig. Tu as des idées ?

– Eh bien, j'en ai bien une…

– C'est quoi ? Accouche !

– Ben…

– Allez, envoie !

– C'est un type qui engage une prostituée pour l'anniversaire de son meilleur ami. Mais tout va mal… »

« Ma première préoccupation est de raconter une histoire qui soit vraiment captivante. Ce qui compte est que l'histoire marche et que les spectateurs restent captifs à l'intérieur de mon film. »

Tarantino aime l'histoire et demande à son ami de l'écrire. Quelques mois plus tard, Craig lui donne un texte d'une trentaine de pages, dans un café de Ventura Boulevard. « Tu veux bien que je l'emmène à la maison et que j'ajoute quelques scènes et quelques trucs ? » dit-il.

Il développe sur 80 pages le script de *My Best Friend's Birthday* (L'anniversaire de mon meilleur ami), qu'ils tournent tout au long des trois années suivantes pour seulement 5000 dollars, en utilisant une vieille caméra Bolex 16 mm contenant seulement quelques dizaines de mètres de film, ce qui imposait de changer de bobine toutes les deux minutes et demie. Après un incendie dans le laboratoire qui a détruit une grande partie du film, il n'en reste que trente-six minutes, suffisantes pour s'assurer qu'on est sans doute devant le seul cas connu d'interprétation de Quentin Tarantino sauvant un film de Quentin Tarantino.

Il est Clarence, bavard impénitent qui travaille comme animateur pour une station locale appelée K-Billy Radio, seul point lumineux d'une série de scènes en noir et blanc mal éclairées, pleines de secousses. Dans sa première scène, il explique comment *The Partridge Family* (série télé des années 1970 mettant en scène une famille de musiciens - NdT) l'a empêché de se suicider à l'âge de trois ans : « Je me disais : "Je vais regarder *The Partridge Family* – et puis je vais me tuer" » et il insulte les auditeurs qui appellent au téléphone (« Non, je ne fais pas de dédicaces… Je me fiche qu'Unruly Julie joue dans son spectacle »). Au cours du film, il renifle accidentellement de la poudre à gratter qu'il prend pour de la cocaïne, traque une prostituée pour son « meilleur ami » et débat sur les mérites respectifs de Marlon Brando et d'Elvis Presley (« Je ne suis pas pédé, mais j'ai toujours dit que, si jamais je devais baiser un mec – je veux dire, si je devais parce que ma vie en dépend – je baiserais Elvis »), sur un accompagnement de *The Ballroom Blitz* de Sweet. Le ton Tarantino est indéniable, même si le film est un gâchis. On retrouvera ce dialogue dans *True Romance* tout comme l'héroïne, une call-girl qui quitte son souteneur :

MISTY

See, for the past three years I worked at Kmart in Cleveland.

CLARENCE

Really? What department?

MISTY

Records and tapes.

CLARENCE

You lucky dog. I worked at Kmart too.

MISTY

Really?

CLARENCE

Yeah, out here. I always tried to get into records and tapes, but they stuck me in women's shoes.

MISTY

No kidding? I always felt sorry for those guys in women's shoes. Some of those old ladies would come in and make you try on fifty pairs of shoes before they made up their mind.

CLARENCE

Yeah, but I had a foot fetish so it evened itself out…

MISTY

Tu vois, ces trois dernières années, je travaillais chez Kmart à Cleveland.

CLARENCE

Ah oui? Quel rayon?

MISTY

Disques et cassettes.

CLARENCE

T'as de la chance. J'ai travaillé chez Kmart aussi.

MISTY

Vraiment?

CLARENCE

Ouais, ici. J'ai essayé de bosser au rayon musique, mais ils m'ont coincé aux chaussures pour femmes.

MISTY

Sans blague? J'ai toujours eu de la peine pour les gars des chaussures pour femmes. Il y a des vieilles dames qui viennent et vous font essayer cinquante paires de chaussures avant de faire leur choix !

CLARENCE

Comme je suis fétichiste des pieds, tout allait bien…

À GAUCHE ET EN HAUT : Les amoureux de *True Romance*. Alabama (Patricia Arquette) et Clarence (Christian Slater) s'enfuient avec une valise de cocaïne volée.

À DROITE : Considéré comme un auteur et scénariste prometteur, Tarantino accompagne le réalisateur Tony Scott lors de la tournée promotionnelle de *True Romance*.

EN BAS : Affiches de *True Romance* et *Natural Born Killers (Tueurs nés)*.

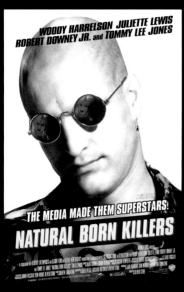

Incapable de payer les frais de tirage pendant plusieurs années, Tarantino a pu finalement récupérer ses images et voir le résultat. « J'ai commencé à tout regarder, et j'avais le cœur brisé, dit-il. Ce n'était pas ce que je pensais que ça allait être. C'était inutilisable. Pour finir, il aurait fallu une autre année et demie de "Bon, maintenant, on va en postproduction." Alors je me suis dit : "Voilà, c'est mon film d'apprentissage." J'ai appris comment ne pas faire un film. Donc, j'ai commencé à écrire des scénarios pour avoir de l'argent pour faire un vrai film. »

Hamann, qui a travaillé comme assistant de l'agente Cathryn Jaymes, lui présente Tarantino. Elle choisit de donner sa chance au jeune réalisateur et commence à parler de lui dans Hollywood. Mais la muse de Tarantino se révèle une bien étrange créature à cette époque. Il semble préférer récupérer des scripts écrits par d'autres pour y imprimer sa marque de manière indélébile et se les approprier. Ses deux projets suivants commencent par *The Open Road*, 80 pages écrites par son complice de Video Archives, Roger Avary, une histoire genre *After Hours* d'un yuppie en péril, un homme d'affaires qui embarque un auto-stoppeur fou et se retrouve dans une ville paumée du Middle Ouest. Dans la réécriture de Tarantino, l'homme d'affaires est devenu un vendeur de BDs de Detroit, nommé à nouveau Clarence, qui prend la route, non pas avec un auto-stoppeur, mais avec une prostituée appelée Alabama et leur histoire se mêle à celle de deux fugueurs violents nommés Mickey et Mallory. Le script tentaculaire finit par atteindre 500 pages écrites à la main, maintenues ensemble dans une chemise par un élastique. « Je ne voyais aucun moyen de le finir », déclare Tarantino, qui divise finalement le script en deux, créant *True Romance* et *Natural Born Killers*. Le premier sera finalement tourné par Tony Scott.

Tarantino travaille sur la réécriture de *Past Midnight (Coupable)* pour Cinetel, ce qui lui permet d'être crédité pour la première fois dans un générique, curieusement pas comme auteur mais comme producteur associé… Il rencontre Tony Scott sur le tournage de *The Last Boy Scout (Le Dernier Samaritain)*, produit aussi par Cinetel. Tony Scott l'invite à une fête et lui demande à lire des scénarios. Tarantino lui donne *True Romance* et *Reservoir Dogs*, en lui disant : « Lisez les trois premières pages. Si vous n'aimez pas, jetez ! »

Le destin de Tarantino est d'éliminer de son chemin les cœurs fragiles : Le script original de *True Romance* commence par une longue discussion sur le cunnilingus qui a rebuté les lecteurs de scénarios des studios. Encore et encore, il a entendu : trop violent, trop vil, trop vulgaire. « Pouah ! Personnages détestables, a écrit un lecteur de Miramax. Qui se soucie de ces personnes, de leur histoire ? Ils sont tous les deux merdiques, pour les citer. » Un autre lecteur, écœuré par tous les *fuck* du scénario, écrit ironiquement à l'agente de Tarantino, Cathryn Jaymes :

Chère Cathryn,

Comment osez-vous m'envoyer ça, putain de merde ? Vous avez pété vos putains de plombs. Vous voulez savoir ce que j'en pense ? Je vous renvoie ce tombereau de merde. Allez vous faire mettre.

Après avoir lu les deux scénarios au cours d'un vol pour l'Europe, Tony Scott, lui, est ravi. « À l'atterrissage, je voulais réaliser les deux histoires. Quand je l'ai dit à Quentin, il m'a répondu : "Tu ne peux en prendre qu'un." » Tony choisit *True Romance*. « C'était l'un des scripts les plus complets, les plus accomplis que je n'avais jamais lu. Ce film est un mélange étrange. C'est une comédie noire, pour moi. »

Les plus importantes modifications qu'a faites Tony Scott concernent la chronologie : l'histoire au départ était déstructurée, comme *Reservoir Dogs*, et se terminait par la mort de Clarence lors d'une « impasse mexicaine » (situation inextricable, très tarantinesque, où plusieurs personnages se menacent en même temps – NdT), Alabama partant avec l'argent :

INT. MUSTANG ROUGE-ROULANT-JOUR

Alabama conduit vite, sur l'autoroute. L'animateur, à la radio, essaie d'être drôle, puis lance la chanson *Little Arrows* de Leapy Lee. Alabama se décompose et se met à pleurer. Elle arrête la voiture sur le bas-côté.

INT. MUSTANG ROUGE-BORD DE ROUTE-JOUR

La chanson continue. Elle essuie ses larmes avec une serviette en papier, qu'elle sort de sa poche, puis la jette sur le tableau de bord.
Elle prend le pistolet .45 et met le canon dans sa bouche. Elle relève le chien et lève les yeux. Elle croise son reflet dans le miroir du rétroviseur. Elle se tourne et regarde droit devant elle.
Son doigt se resserre sur la gâchette.
Ses yeux tombent sur la serviette sur le tableau de bord et elle lit : "Tu es si cool".

EN BAS : Christian Slater tournant *True Romance* sous la direction de Tony Scott, à Los Angeles.

Elle jette le pistolet de côté.
Alabama sort de la voiture, ouvre le coffre et prend la mallette. Elle cherche autour et trouve la bande dessinée *Sergent Fury* que Clarence lui a achetée.
Avec la bande dessinée dans une main et la mallette dans l'autre, Alabama marche loin de la Mustang pour toujours.
FONDU

« Clarence était moi, ça m'a emporté la tête, comme un mouvement de rock punk, a déclaré Tarantino. *True Romance* est probablement mon scénario le plus personnel, parce que j'étais le personnage de Clarence, au moment où je l'ai écrit. Il travaille dans un magasin de BDs et je travaillais dans un magasin de vidéos. Quand mes amis de ce temps-là voient *True Romance*, ils sont mélancoliques, ça les ramène dans cette époque. Quand j'ai vu le film pour la première fois, c'était bizarre, parce que je regardais une version à gros budget de mes films maison, ou de mes souvenirs. »

True Romance est le film le plus solaire réalisé à partir d'un script de Tarantino. Le nihilisme anguleux du novice est tempéré par la lumière mielleuse et le sens du clip de pub de Tony Scott, pour un conte de fées pop avec des Cadillac roses devant des ciels soigneusement filtrés et le couple Christian Slater-Patricia Arquette en amoureux à la *Badlands*, prenant la route avec une mallette de cocaïne volée. L'intrigue donne vie à une succession de mauvais garçons, chacun se pavanant sur scène pendant quelques minutes avant de faire place à un autre, Gary Oldman en trafiquant de drogue à dreadlocks et cicatrices, Brad Pitt tellement défoncé qu'il remarque à peine les gangsters armés chez lui (« Ne sois pas condescendant, mec ») et Bronson Pinchot en assistant d'un producteur de Hollywood. Mais le film met aussi en avant Dennis Hopper en Cliff, policier et père de Clarence, et Christopher Walken en gangster d'origine sicilienne qui l'interroge sur son fils. Les deux acteurs ont laissé passer *Reservoir Dogs* et compensent ici avec une magnifique scène, apparemment détendue, mais toute en tension, Hopper tirant sur une Chesterfield en tenant un discours soi-disant historique mais sauvagement insultant à propos de l'origine noire des Siciliens, Walken semblant tellement bluffé et amusé qu'on se demande pendant quelques brèves secondes s'il ne va pas l'épargner. Incapables de contenir leurs rires pendant un grand nombre de prises, ils ont improvisé les répliques : « Tu es ce qu'on appelle café au lait » et « Et toi, t'es chocolat, mon pote ».

EN HAUT : Alabama appuyée sur le capot de la Cadillac rose.

EN HAUT À DROITE ET PAGE DE DROITE :
La scène culte dite "des Siciliens".
Christopher Walken (Vincenzo Coccotti), qui a laissé passer *Reservoir Dogs*, se rattrape dans *True Romance* avec sa performance d'homme de main cherchant à faire parler Clifford (Dennis Hopper).

Cette mythique « scène des Siciliens » vient d'un ami de Tarantino qui avait débarqué dans son appartement. « La seule chose que je savais était que Cliff devait insulter le gars pour qu'il finisse par le tuer, parce que s'il le torturait, il finirait par lui dire où était Clarence était et ça, il ne le voulait pas, raconte Tarantino. Je savais comment la scène finissait, mais je n'écris pas un dialogue de manière stratégique. Je n'ai pas vraiment dessiné la scène, je les ai réunis dans la même pièce. Je savais que Cliff allait finir par raconter l'histoire des Siciliens, mais je ne savais pas ce que Coccotti allait répondre. Ils ont juste commencé à parler et j'ai écrit. Je suis presque gêné de m'attribuer le crédit de l'écriture des dialogues, car ce sont les personnages qui les créent. Pour moi, c'est très proche de l'improvisation des acteurs, mais c'est moi qui joue tous les personnages. L'une des raisons pour lesquelles j'aime écrire avec un stylo et du papier est que ça facilite ce processus, pour moi en tout cas. »

Ce qu'il atteint de si profond dans ce discours du sacrifice d'un père pour son fils est révélateur. Le travail de Tarantino abonde de relations père-fils dosées avec plus ou moins de dévotion et de destruction. Il y a la relation, dans *Reservoir Dogs*, entre M. Orange et M. White, joué par Harvey Keitel (« le père que je n'ai jamais eu »), qui se détourne de la loyauté jusqu'à trahir et assassiner. Il y a Butch Coolidge (Bruce Willis) dans *Pulp Fiction*, élevé sans père, mais chérissant la montre qu'il lui a laissée et plus globalement Bill dans *Kill Bill*, l'exorcisme le plus sincère de toutes les ambiguïtés de Tarantino envers les pères et les figures paternelles (il l'appelait « le sous-texte qui borde effectivement le texte »).

Mais la scène la plus bouleversante est celle qui se joue entre Clarence et son père Cliff dans *True Romance*, la réconciliation après un éloignement de trois ans, la scène, pour Tarantino, « la plus autobiographique que j'ai jamais écrite ».

« Je suis presque gêné de m'attribuer le crédit de l'écriture des dialogues, car ce sont les personnages qui les créent eux-mêmes. »

CLARENCE

Look, Goddamnit, I never asked you for a Goddamn thing! I've tried to make your parental obligation as easy as possible. After Mom divorced you did I ever ask you for anything? When I wouldn't see ya for six months to a year at a time, did I ever get in your shit about it? No! It was always :'Okay,' 'No problem,' 'You're a busy guy, I understand.' The whole time you were a drunk, did I ever point my finger at you and talk shit? No! Everybody else did. I never did. you see, I know that you're just a bad parent. You're not really very good at it. But I know you love me. I'm basically a pretty resourceful guy. If Ididn't really need it I wouldn't ask. And if you say no, don't worry about it. I'm gone. No problem.

CLARENCE

Écoute, merde, est-ce que je t'ai jamais rien demandé de ma conne de vie, hein?
Mais putain de merde même après que t'as divorcé de maman, est-ce que je t'ai demandé quoi que ce soit?
Non, rien, même quand j'ai refusé de te voir pendant presque deux ans, est-ce que je t'ai craché dessus?

À GAUCHE : Le père (Clifford) et le fils (Clarence) ont une relation complexe dans *True Romance*, avec cette scène que Tarantino considère comme sa plus autobiographique.

EN HAUT : Woody Harrelson et Juliette Lewis posent pour une photo promotionnelle de *Natural Born Killers* (*Tueurs nés*), en 1994.

Tout ce temps où t'as pas dessoûlé, est-ce que j'ai jamais mal parlé de toi ?
Non, j'ai rien dit. Tout le monde t'a démoli, mais pas moi.
Aujourd'hui, je voudrais un coup de main, alors déconne pas et aide-moi, d'accord ?
Normalement, je suis plutôt démerde, si j'avais pas besoin de toi, je te demanderai pas.
Si tu me réponds que t'en as rien à secouer, très bien, vas-y, tu laisses tomber. Aucun problème.
Salut.

Natural Born Killers (Tueurs nés) n'a pas la même chance. Après avoir échoué à le diriger lui-même pour 500 000 dollars, Tarantino passe un an et demi à essayer de trouver des fonds, avant de finalement le vendre à deux diplômés d'école de cinéma ambitieux, Jane Hamsher et Don Murphy, en 1991, pour 10 000 dollars, au moment où la production de *Reservoir Dogs* débute. Après le succès inattendu de son film, il tente de racheter le scénario, mais trop tard : il a été vendu à Warner Bros pour le réalisateur Oliver Stone, qui essaie de débaucher la moitié du casting de *Reservoir Dogs* : Tim Roth, Steve Buscemi et Michael Madsen. « Oliver Stone m'a appelé et m'a dit : "Si je fais ce film avec toi, je reçois 2,5 millions de dollars et le budget du film est de 20 millions de dollars. Mais si je le fais avec Woody Harrelson, j'ai 30 millions et je touche 5 millions. C'est ce que je vais faire", raconte Madsen. Pendant ce temps, Quentin m'appelait pour me dire : "Ne fais pas *Tueurs nés* avec Oliver, il va le foutre en l'air !" »

Oliver Stone a réécrit le scénario, en conservant une grande partie des dialogues originaux de Tarantino, y compris le jeu « *Eanie, meanie, minie, moe* » de Mallory dans la scène d'ouverture et la discussion entre Wayne et Mickey sur les comparaisons de tueurs en série (« Manson vous bat – Oui, c'est plutôt dur de dépasser le meilleur »). Mais, dans la version de Tarantino, Mickey et Mallory sont juste des seconds rôles, son personnage principal est Wayne Gale, journaliste d'une chaîne de télé à sensation, genre Geraldo Rivera, joué par Robert Downey Jr. dans le film d'Oliver Stone, avec son équipe de tournage : un cameraman, un preneur de son et une assistante, nommés Scott, Roger et Julie comme les vendeurs de Video Archives.

INT. NEWS VAN-MOVING-DAY

Roger's picking through a box of donuts.
Scott PANS over to him, then slowly ZOOMS
in on him.

ROGER

Where the fuck's the chocolate cream filled?
Did anyone get my chocolate cream filled?
If you did, it's mine.
CU of Roger, looking into CAMERA.

ROGER

I pointed at a chocolate cream filled.
You saw me do it, didn't you?
Wayne starts talking. We PAN from Roger
to a CU of Wayne.

WAYNE

You were there. Did you see him put
it in a box?
We PAN back to a CU of Roger.

ROGER

At the time, I was too busy explaining to Scott
the finer points of film.
We ZOOM back to a WIDE SHOT.

SCOTT (O.S.)

Yeah, right. You know what he said? He said,
Indiana Jones And The Temple Of Doom is
Spielberg's best film.
Wayne starts laughing. We hear Scott
laugh too.

WAYNE

(to Roger)
You can't be serious?

ROGER

(preoccupied)
I'm as serious about that as I am about going
back to the donut store, and dipping that
stupid Mexican's head into the batter for
forgetting my chocolate cream filled. Gimme
that other box.

INT. CAMIONNETTE TéLé-ROULANT-JOUR

Roger puise dans une boîte de beignets.
Scott fait un panoramique vers lui, puis zoome
lentement sur lui.

ROGER

Putain, où est le pot de crème au chocolat ?
Qui a pris ma crème au chocolat ?
Hé ! C'est à moi.
Gros plan de Roger, regardant dans la caméra.

ROGER

J'ai demandé une crème au chocolat.
Vous m'avez vu avec, non ?
Wayne commence à parler. Panoramique
de Roger vers un gros plan de Wayne.

WAYNE

Tu étais là. Tu l'as vu le mettre dans la boîte ?
Panoramique vers un gros plan de Roger.

À GAUCHE : Les médias pendus
au moindre mot de Mickey, lors
de l'interview de *Tueurs nés*.

EN HAUT : Le réalisateur Oliver
Stone a tourné beaucoup de scènes
de *Tueurs nés* avec une caméra
penchée à 45° et des filtres colorés
pour montrer la tension et la folie
des personnages.

«Si vous aimez mon travail, vous n'apprécierez pas forcément ce film. Mais si vous aimez celui d'Oliver, il vous plaira probablement.»

ROGER

À ce moment-là, j'étais trop occupé à expliquer à Scott les subtilités d'un film.
Zoom arrière vers un plan large.

SCOTT *(hors champ)*

Oui en effet. Tu sais ce qu'il disait ? Il a dit : « *Indiana Jones et le temple maudit* est le meilleur film de Spielberg. »
Wayne commence à rire. On entend Scott rire aussi.

WAYNE

(à Roger)

Tu n'es pas sérieux ?

ROGER

(préoccupé)

Je suis si sérieux que je vais retourner à la boutique de glaces et plonger la tête de ce stupide Mexicain dans la pâte pour avoir oublié ma crème au chocolat. Donne-moi cette boîte.

Il est difficile de voir une telle scène décontractée, avec son humour léger en clin d'œil, subir le tir direct du fusil à deux coups d'un Oliver Stone qui a douze films derrière lui. Si la photographie dense de Robert Richardson sur *Tueurs nés* anticipe le tissage de styles qu'il apportera à son travail plus tard pour Tarantino sur *Kill Bill*, *Inglourious Basterds* et *Django Unchained*, Oliver Stone, « comme satiriste, est un éléphant qui se prend pour une ballerine, écrit Janet Maslin dans le *New York Times*. Grattez la surface frénétique, hystérique de *Tueurs nés* et vous trouverez des idées remarquablement banales au sujet de Mickey, Mallory et des médias démoniaques ».

D'autres ont souscrit : « La satire nécessite un certain détachement tranquille, or la sensibilité d'Oliver Stone est chauffée à blanc et personnelle, écrit Hal Hinson dans le *Washington Post*. Notre société part peut-être à la dérive vers le genre de calamité qu'Oliver Stone décrit dans *Tueurs nés*, mais l'hystérie qu'il dépeint semble venir de l'intérieur de lui-même. »

Le meilleur commentaire sur le film vient de Tarantino lui-même : « J'espère que [Stone] voulait juste réaliser un putain de plagiat, dit-il, après avoir demandé que son crédit comme scénariste soit ramené à "Histoire de". Son plus gros problème est que ses évidences annulent son énergie et que son énergie gonfle ses évidences. C'est Stanley Kramer avec du style. » Analyse digne de Pauline Kael elle-même.

Tout le reste, y compris la Chevrolet Malibu rouge cerise que Tarantino achète avec l'argent de *Tueurs nés* et que John Travolta conduit dans *Pulp Fiction*, est à venir. Au milieu de la vingtaine, Tarantino n'est pas heureux. Il vit dans un appartement d'une pièce près de l'aéroport, en dessous des avions qui atterrissent, assiste à des cours de théâtre et collectionne les idées rejetées. Il est, à la fin des années 1980, juste un génie bourgeonnant de vingt-cinq ans en marge de l'industrie du cinéma parmi tant d'autres. Par plaisanterie, ses amis suggèrent, pour qu'une lettre lui arrive, d'écrire à « Quentin Tarantino, dans les faubourgs de l'industrie du cinéma ». Il va y arriver. « J'avais vraiment un côté jeune-homme-en-colère tout au long de mes vingt ans, parce que je voulais que les gens me prennent – et prennent ma merde – au sérieux, et j'étais plein de pisse et de vinaigre à cette idée, a-t-il dit. C'est par frustration que j'ai écrit *Reservoir Dogs*. »

Au cours d'un barbecue chez son copain acteur Scott Spiegel, le 4 juillet 1989, Tarantino est présenté au producteur Lawrence Bender. Beau gosse juif dégingandé du Bronx qui a fait de la danse avant que des blessures l'amènent à l'interprétation et à la production, Bender vient juste, en 1989, de rassembler le budget du film d'horreur *Intruder* de Scott Spiegel, pour le voir diffusé seulement en vidéo, et songe à quitter le métier. Son ambition subit, d'une autre manière, la même gueule de bois et la même désillusion

À GAUCHE : Woody Harrelson et Juliette Lewis, le couple meurtrier Mickey et Mallory Knox de *Tueurs nés*.

EN HAUT : Le jeune crâneur de Hollywood, en 1993.

« Nous étions tous les deux des inconnus.
On se battait l'un comme l'autre pour
se frayer un chemin dans le système. »
Lawrence Bender

que celle de Tarantino. « Nous étions tous les deux en difficulté, raconte Bender. Nous étions tous les deux des inconnus. Nous essayions tous les deux de nous battre pour trouver notre chemin dans le système. Face à Tarantino, vingt-cinq ans seulement à l'époque, il fait une pause.

– Tarantino… C'est un nom qui me dit quelque chose… J'ai lu un script, mais je pense que c'est un autre Tarantino… *True Romance* ou quelque chose comme ça…

– C'est mon script ! crie Tarantino.

– Vraiment ? C'est un scénario vraiment cool, vraiment super ! »

Bender lui demande sur quoi il travaille en ce moment. Tarantino lui montre son scénario pour *Tueurs nés* et lui raconte une autre idée : un hold-up qui échoue, raconté en temps réel depuis le lieu où les truands doivent se retrouver. Ils arrivent peu à peu, « l'un a été abattu, l'un a été blessé, l'un est tué, l'un est un flic infiltré, mais vous ne voyez jamais le hold-up. »

« Au fur et à mesure qu'il me racontait l'histoire, je me disais que nous étions partis pour quelque chose de grand », a déclaré Bender, qui dit à Tarantino d'aller l'écrire. Ayant touché l'argent de son apparition (un sosie d'Elvis) dans la série télévisée *The Golden Girls (Les Craquantes)*, Tarantino fonce à la papeterie et achète un cahier et des feutres, deux rouges et deux noirs. Il écrit le scénario de *Reservoir Dogs* en seulement trois semaines et demie, mais l'idée bouillonne en lui depuis l'époque de Video Archives, quand il installa une étagère de films de braquages comme *Du Rififi chez les hommes*, *Topkapi* et *The Thomas Crown Affair (L'Affaire Thomas Crown)*. « Je détestais ça, je détestais ça quand ils réussissaient le hold-up mais que, juste par quelque bizarrerie, un coup du destin intervenait et ils se faisaient avoir. » Au lieu de cela, dans un style qu'il va plus tard caractériser comme « les réponses d'abord, les questions après », le déraillement du plan de la bande est son

point de départ. Chaque personnage a son propre récit, chacun révélant une part de ce qui s'est passé. « J'ai toujours considéré *Reservoir Dogs* comme le roman populaire bon marché que je n'écrirai jamais, dit-il. Je ne savais pas si la structure dramatique fonctionnerait. C'était une théorie. Que si vous preniez une structure romanesque et que vous la mettiez dans un film, ce serait très cinématographique. Réalisé comme ça. Raconté comme ça. »

Une nuit, quelques semaines plus tard, Bender reçoit un appel de Tarantino dans son appartement à West Hollywood. « Il n'avait pas de voiture et je ne pouvais pas recevoir de fax, alors je suis allé chez lui », raconte le producteur, qui trouve Tarantino accroupi sur la vieille Smith Corona de son ex-petite amie, tapant laborieusement à deux doigts. Tous les amis à qui il avait l'habitude de demander de taper ses scripts lui avaient fait faux bond. Ce que Bender lit alors est plein de fautes d'orthographe,

absolument pas formaté, parfois illisible, et très clairement brillant.

« Waouh !, c'est extraordinaire, dit-il. Peux-tu me donner un peu de temps pour réunir un peu d'argent ?

– Non, j'ai déjà entendu ça trop souvent, répond Tarantino, largement échaudé par ses échecs précédents. Oublie ça, je ne fais plus confiance. »

Il entend financer lui-même *Reservoir Dogs* avec un super faible budget et le tourner en 16 mm et en noir et blanc pour 10 000 dollars, interprété par ses amis et lui (Il jouerait M. Rose et Bender jouerait Eddie Cabot). « Personne ne va me donner d'argent et je ne vais pas passer une autre putain d'année à parler de faire des films. Je viens de passer six ans de tension à chercher des accords. Personne ne va me prendre au mot et me dire : "Voici un million de dollars." »

Bender lui demande six mois. « Jamais de la vie. Je te donne deux mois avec une option sur un mois de plus. » L'accord est signé sur une serviette en papier. Tarantino revient vivre chez sa mère pour ne pas avoir de loyer à payer, pendant que Bender frappe aux portes avec le script. Un financier leur offre 1,6 million de dollars s'ils donnent au film une fin comme celle de *The Sting* (*L'Arnaque*) avec tous les morts restant vivants. Un autre est prêt à leur donner 500 000 dollars si sa petite amie interprète M. Blonde… Un acheteur potentiel est prêt à hypothéquer sa maison, mais seulement s'il dirige le film. « J'avais vraiment le sentiment, que je ne laissais pas paraître, que nous étions sur le point de faire quelque chose de vraiment immense, se rappelle Bender. Ce n'était pas comme si je le savais par expérience. Mais je le sentais profondément au fond de mes tripes. »

Dans sept mois, ils vont tourner. « J'allais y aller vraiment dans le style guérilla, comme Nick Gomez a fait pour *Laws of Gravity*. J'avais perdu espoir que quelqu'un me donne de l'argent… et c'est là que j'ai eu l'argent. »

EN HAUT : Tarantino se détend avec le producteur Lawrence Bender sur le tournage de *Pulp Fiction* en 1994.

PAGES SUIVANTES : Portrait par Levon Biss, 2012.

LE RÉALISATEUR

RESERVOIR DOGS

1992

« Ce film est dédié à mes sources d'inspiration :
Timothy Carey, Roger Corman, André de Toth,
Chow Yun-Fat, Jean-Luc Godard, Jean-Pierre
Melville, Lawrence Tierney, Lionel White... »

La page d'ouverture du script de *Reservoir Dogs* ne fait pas mystère de ses emprunts, citant Lionel White, l'auteur du roman à l'origine de *The Killing* (*L'Ultime Razzia*), le film de Stanley Kubrick et Timothy Carey, qui joue dans le film ; Chow Yun-Fat, l'interprète, dans le film *City on Fire* de 1987 (que Tarantino cite comme l'un de ses films préférés), d'un flic infiltré dans une bande de truands qui se prépare à cambrioler un magasin de bijoux pour un boss patriarcal ; l'acteur vétéran, star de *Dillinger* en 1945, Lawrence Tierney, dont Tarantino fera le chef de la bande, Joe Cabot ; le réalisateur français Jean-Pierre Melville (« le Godard que je ne suis pas devenu ») dont les gangsters élégants en trench-coats étaient l'incarnation de la Nouvelle Vague chic ; et bien sûr, Godard lui-même, dont *À Bout de souffle* (1960) et *Bande à part* (1964) ont tellement marqué l'esthétique de mélange et citation de Tarantino. « Les grands artistes volent, ils ne rendent pas hommage, a-t-il déclaré. Mon travail prend cela d'ici et ceci de là et les mélange, et si les gens n'aiment pas, c'est dommage mais tant pis, qu'ils n'aillent pas voir le film, d'accord ? »

À GAUCHE : Tarantino s'inspire clairement de films de gangsters comme *The Killing (L'Ultime Razzia)* de Stanley Kubrick (1956) et *Dillinger* de Max Nosseck (1945).

EN HAUT : Tarantino au Director's Lab workshop du Sundance Film Festival. Steve Buscemi et lui y présentent des scènes de *Reservoir Dogs,* ici avec l'acteur Tom Sizemore (à droite).

« Ce film n'a jamais voulu apporter tout à tout le monde. Je ne le dis pas pour frimer. Je dis juste que je l'ai fait pour moi-même et tous les autres y sont invités. »

EN HAUT : Perdu dans ses pensées pendant le tournage de son premier film. Tarantino a souvent dit que *Reservoir Dogs* était la « récompense parfaite de sa persévérance. »

À DROITE : Les *Dogs*. Les scènes au Uncle Bob's Pancakes marquent les débuts de Tarantino comme réalisateur à part entière.

Il développe la méthode de ses premiers scripts vers la manière créative qui sera sa marque de fabrique dans les trois prochaines décennies. Puisant son inspiration, parfois des idées d'intrigues complètes, dans le stock des intrigues existantes à un niveau qui pourrait faire transpirer certains écrivains, il en fait sa propre version, si complètement différente que les accusations de plagiat se détruisent dans sa force tarantinesque. Andy Warhol ou Jean-Luc Godard comprendraient très bien, comme les rappeurs ou les remixeurs. Il prend l'idée d'une bande de voleurs nommés selon des couleurs dans *The Taking of Pelham One Two Three (Les Pirates du métro)*, de 1974, mais c'est Tarantino qui les amène à se disputer pour décider qui est nommé par quelle couleur. En fait, il ne l'a pas décidé lui-même, si on l'écoute. « Les personnages ont commencé à se chamailler comme des gamins sur la couleur de leur nom. Ils se parlaient et je l'écrivais et je me disais "Wow !" », dit-il, laissant ses personnages flipper librement à l'intérieur de sa structure narrative étroitement contrôlée. « Si un personnage fait quelque chose de vrai qui ne correspond pas avec ce qui était prévu, eh bien voilà, c'est ça qu'il fait. Je ne joue pas à être Dieu et à le manipuler. Voilà comment je travaille : je laisse mes personnages improviser et je suis comme un reporter dans un tribunal qui raconte. » Ou comme quelqu'un qui planifie un hold-up.

Tant de réalisateurs ont fait leurs débuts avec des films de hold-up, Tarantino avec *Reservoir Dogs*, mais aussi Woody Allen avec *Take the Money and Run (Prends l'oseille et tire-toi)*, Michael Mann avec *Thief (Le Solitaire)*, Wes Anderson avec *Bottle Rocket*, Bryan Singer avec *The Usual Suspects (Usual Suspects)*… qu'on peut penser à une similitude cachée entre le vol qualifié et l'esthétique "délit de fuite" de cinéastes qui tournent pour la première fois. Dans les deux cas, une bande d'étrangers se rassemble pour exécuter un plan longuement étudié, dont tous les détails doivent être élaborés très minutieusement et qui dépend pour son exécution de passer complètement inaperçu. Les deux situations impliquent la collision possible du plan avec les contingences inattendues et les accidents du moment, ce qui nécessite des prouesses d'improvisation de la part des membres des gangs, qui doivent s'adapter rapidement aux événements tels qu'ils se déroulent. En cas de succès, dans les deux cas, on part avec un gros paquet d'argent, mais les premiers films comme les hold-up sont également fondés sur la loi de Murphy : tout ce qui est susceptible de mal tourner tourne nécessairement mal.

EN HAUT : L'expérience de Harvey Keitel, parlant ici d'une scène avec Tarantino (en haut) et dans sa peau de M. White (en bas), est un atout majeur pour le film, tant comme acteur que comme producteur.

À DROITE : « Une pinte de plus et il est mort. » Tim Roth a passé des heures dans le sirop imitant le sang pour ses scènes d'agonie sanglante.

Si le premier membre du gang Tarantino est Lawrence Bender, le deuxième est Monte Hellman, le réalisateur culte de deux des westerns préférés de Tarantino, *The Shooting (La Mort tragique de Leland Drum)* et *Ride in the Whirlwind (L'Ouragan de la vengeance)*, interprétés par Jack Nicholson. Bender les fait se rencontrer au C. C. Brown's, un glacier sur Hollywood Boulevard, où Hellman croit d'abord qu'on lui offre de diriger le film. Enhardi par la vente récente de son script *True Romance*, Tarantino tient bon : celui-ci est pour lui. Hellman accepte d'intervenir comme producteur exécutif et rencontre Richard Gladstein, vice-président de Live Entertainment, un ancien distributeur de vidéos pornos. Gladstein accepte le projet à une condition : il leur donne une liste de dix noms d'acteurs. Si l'un d'eux participe au film, il met 1,3 million de dollars dans le film ; si deux acceptent, il monte à 2 millions de dollars. Sur cette liste, il y a Christopher Walken, Dennis Hopper et Harvey Keitel.

Or il s'avère que l'épouse du professeur d'interprétation de Lawrence Bender, l'actrice Lily Parker, connaît Keitel depuis l'Actors Studio. Elle lui fait passer une copie du script. « Elle m'a simplement dit : "Harvey, je pense que tu vas aimer ce scénario." Quand je l'ai lu, j'ai été remué. Quentin avait une manière nouvelle de visiter de vieux thèmes : la camaraderie, la confiance, la trahison, la rédemption. » Il le lit un samedi soir tard et appelle Bender dès le dimanche matin, lui laissant un message sur son répondeur avec son inimitable accent de Brooklyn : « Bonjour, c'est un message pour Lawrence Bender. C'est Harvey Keitel. J'ai lu le script de *Reservoir Dogs* et je voudrais vous en parler… » Bender s'en rappelle encore : « Vous n'avez pas idée du frisson qui m'a parcouru en entendant la voix d'Harvey Keitel sur mon répondeur. »

L'acteur raconte la première visite de Tarantino : « J'ai ouvert la porte, et il y avait là ce grand type dégingandé qui me regardait et dit : "Harvey Kee-tel ?" et j'ai répondu : "c'est Kye-tel". Ça a commencé comme ça. Je lui ai offert quelque chose à manger et il a mangé, beaucoup. Je lui ai dit : "Comment en êtes-vous venu à écrire ce script ? Est-ce que vous avez grandi dans un quartier de durs à cuire ?" Il a dit non. Je lui ai demandé : "Est-ce que quelqu'un dans votre famille est en rapport avec des gros bras ?" Il a dit non. Je lui ai redemandé : "Eh bien alors, comment diable en êtes-vous venu à écrire cela ? Et il a répondu : "Je regarde des films." »

Ils ont leur M. White. Mais pas seulement. Avec Keitel à bord, Tarantino et Bender sont en mesure de lever 1,5 million de dollars, d'assurer sa place de réalisateur à Tarantino et

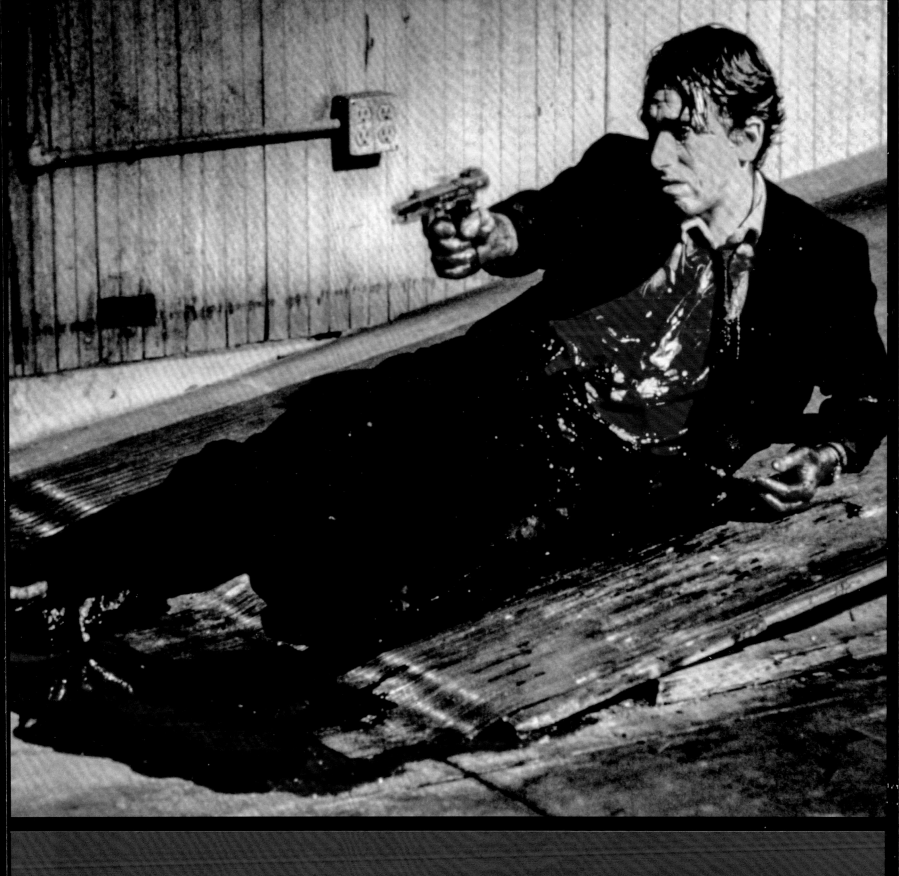

« J'aime l'idée que le public est en train de rire
aux éclats quand, tout d'un coup... Boum !
Et le moment d'après, il y a du sang sur les murs. »

EN HAUT : Comme un réalisateur qui distribue les rôles, le chef du gang, Joe Cabot (Lawrence Tierney, à droite), donne au membres leurs surnoms.

À DROITE : M. Blonde (Michael Madsen), toujours menaçant.

commencent à chercher le reste de la bande. Connaissant Christopher Walken et Dennis Hopper, Keitel essaie de les inciter à monter à bord. Ils ne donnent pas suite, mais le script circule maintenant parmi les agents et les acteurs, avec une chaude réputation. Keitel paie sur ses propres deniers leur voyage à New York, lui-même en première classe, Tarantino et Bender en classe économique, pour superviser les sessions de casting dans un petit bureau de la 57e rue. Plus de soixante acteurs auditionnent et torturent un Lawrence Bender ficelé, jouant le flic capturé, parmi lesquels George Clooney, Samuel L. Jackson, Robert Forster et Vincent Gallo. James Woods reprochera plus tard vivement à son agent de ne pas l'y avoir envoyé. «On s'est vraiment creusés pour trouver la bonne collection de gars», déclara Tarantino.

Michael Madsen vient pour le rôle de M. Pink, que Tarantino a écrit pour lui-même. Il n'a jamais rencontré le réalisateur avant. «Il était là, debout les bras croisés, Harvey sur le canapé les pieds nus, se souvient Madsen. J'ai expliqué pourquoi M. Pink et Quentin m'a dit : "Okay, montre-moi !" Pour l'une des rares fois de ma vie, j'avais répété le dialogue et j'ai joué deux scènes de M. Pink. Quentin m'a regardé : "C'est ça ? D'accord, bien. Tu n'es pas M. Pink. Tu es M. Blonde et si tu n'es pas M. Blonde, tu n'es pas dans le film." » Steve Buscemi est au départ intéressé par

les rôles d'Eddie "Nice Guy" Cabot ou de M. Orange, mais après avoir lu le script, il veut être M. Pink. Le dernier jour des auditions, Tarantino sort dans la salle d'attente pour lui parler. «J'ai écrit le rôle de M. Pink pour moi, donc il va falloir que tu me le prennes. Ou sinon tu ne l'auras pas. Je ne vais pas te baiser, mais je ne vais pas te faciliter le boulot. Tu dois *prendre le rôle. À moi*. Maintenant, vas-y et fais-le ! Et il l'a fait, vraiment. » Tarantino lui apprend qu'il l'engage plus tard ce jour-là, dans les toilettes. «Quentin est entré et, depuis l'urinoir d'à côté, m'a dit : "Oh, à propos, tu as le rôle de M. Pink" », a raconté l'acteur.

De retour à Los Angeles, l'acteur britannique Tim Roth se montre intéressé par le rôle de M. Orange, mais refuse de lire le script. L'emmenant dans une épicerie fine, Keitel essaie de le persuader, mais il refuse encore. Enfin, Tarantino l'invite dans l'un des bars préférés de l'acteur, le Coach and Horses Pub sur Sunset Boulevard, où ils se saoulent consciencieusement. «Je lirais n'importe quoi pour toi ! », déclare Tim Roth aux alentours de deux heures du matin. Sans se démonter, Tarantino griffonne le dialogue sur des sous-bocks de bière, puis ils partent pour l'appartement de l'acteur, après avoir acheté de la bière dans un magasin ouvert la nuit et ils lisent le scénario, de bout en bout, cinq fois. «Nous étions tellement partis ! se rappellera Roth plus tard.

C'est la seule fois où j'ai lu pendant des années. »
Il obtient le rôle.

Le dernier membre du gang est la monteuse
Sally Menke, dont la référence la plus importante
à ce moment-là était *Teenage Mutant Ninja
Turtles (Les Tortues Ninja)*. « On est entrés en
contact et il m'a envoyé le script de cette chose
appelée *Reservoir Dogs*. J'ai tout de suite
pensé que c'était incroyable, dit-elle. Ça m'a
terrassée. Scorsese était mon héros, d'autant
plus qu'il travaillait avec une monteuse, Thelma
Schoonmaker, et ce script avait pile cette tonalité.
Plus tard, quand j'ai découvert qu'Harvey Keitel
était dans le projet, j'étais plus déterminée que
jamais à obtenir ce job. Je faisais une randonnée
au Canada sur une montagne éloignée, vers
Banff, quand j'ai vu une cabine téléphonique. J'ai
appelé L.A. et ils ont m'ont confirmé que j'avais le
boulot. J'ai poussé un cri qui a résonné dans toute
la montagne. »

Une fois l'équipe rassemblée chez Harvey
Keitel à Malibu, certains acteurs, Eddie Bunker
(M. Blue) et Lawrence Tierney (Joe Cabot)
commencent à échanger des histoires au sujet
de leurs séjours en prison. « On s'est regardés,
avec Richard Gladstein, et on s'est dit : "Ça y
est, c'est le film, on est dedans" », a raconté
Bender. Le groupe est si bien tricoté ensemble
que Keitel les a comparés aux douze apôtres
de *The Last Temptation of Christ (La Dernière
Tentation du Christ)*. Tarantino rentre en voiture à
son appartement de Glendale, un peu ivre, mais
plus heureux qu'il ne peut se rappeler avoir jamais
été. « Si je garde ce film bien centré dans ma tête,
je vais réussir un film fantastique, se dit-il. Je vais
pouvoir coller au mur ces emmerdeurs en chemise
blanche et je vais réussir ce film. »

Commencé le 29 juillet 1991, le tournage de
Reservoir Dogs dure seulement cinq semaines
– trente jours –, dans la vallée de San Fernando.
La première semaine est consacrée à la scène
d'ouverture chez Uncle Bob's Pancakes et
au bureau et la deuxième au tournage des
séquences en extérieur, avec la poursuite, la
fusillade et le carjacking de M. Pink. Les troisièmes
et quatrièmes semaines sont consacrées aux
scènes dans l'entrepôt, en fait un ancien magasin
de pompes funèbres au coin de North Figueroa

et de la 59e, à Highland Park. Le directeur de
la photographie Andrzej Sekula tourne avec
une pellicule Kodak à faible sensibilité (50 ASA),
car Tarantino veut que les couleurs flashent.
L'entrepôt est inondé de lumière, la température
y monte à plus de 40°, il fait tellement chaud que
le sang répandu sur l'acteur Tim Roth, en fait du
sirop, contrôlé par un médecin sur le tournage
(« Okay, encore une pinte et il est mort »), finit par
sécher et par le coller au sol. Il faut quinze minutes
pour libérer l'acteur. « Je voulais des rouges
éblouissants, des bleus vraiment bleus, un noir
qui soit noir, pas gris, a déclaré Tarantino. Chaque
prise du film était difficile à réussir. L'entrepôt était
un tel four. On rôtissait, mais ça valait la peine,
parce que ça a donné ces couleurs profondes,
vraiment profondes. »

Tarantino dirige la majeure partie du film en
craignant qu'on lui tape sur l'épaule et qu'on
lui annonce qu'il est viré. Lawrence Bender et
lui se disent qu'ils sont les personnes les plus
inexpérimentées du plateau. Pour la fusillade et la
fuite de M. Pink, ils n'ont pas assez d'argent pour
arrêter la circulation sur toute la rue et n'ont pu
avoir que deux policiers pour contrôler le trafic.
Tarantino dit à Steve Buscemi :
« Bien, voilà ce que tu dois faire : tu prends
le fusil, tu le vides sur les flics et, si le feu est
vert, tu te barres.
– Si le feu est vert ? répondit un Buscemi
éberlué. Tu veux dire que le trafic n'est
pas arrêté ?
– Eh ben, si, en quelque sorte, mais il faudrait
bloquer à la fois de ce côté et de ce côté. Et
les flics nous ont dit : "Si vous passez au feu
vert, vous pouvez y aller." »
En fin de compte, Buscemi doit griller un
stop. Accroupi sur le siège arrière de la voiture,
Tarantino entend tout d'un coup le crépitement
du talkie-walkie : « C'est totalement illégal ! Vous
avez grillé un stop, les flics sont furieux ! »

Le cambriolage est répété, pour qu'ils sachent
tous ce qui est arrivé, mais n'est pas tourné. Pour
la scène de torture, Tarantino demande à l'acteur
qui joue le flic, Kirk Baltz, d'improviser le discours
dans lequel il supplie Michael Madsen ne pas le
brûler. Le dialogue n'avait pas été écrit, dans le
script. « Je savais que Michael venait d'avoir un

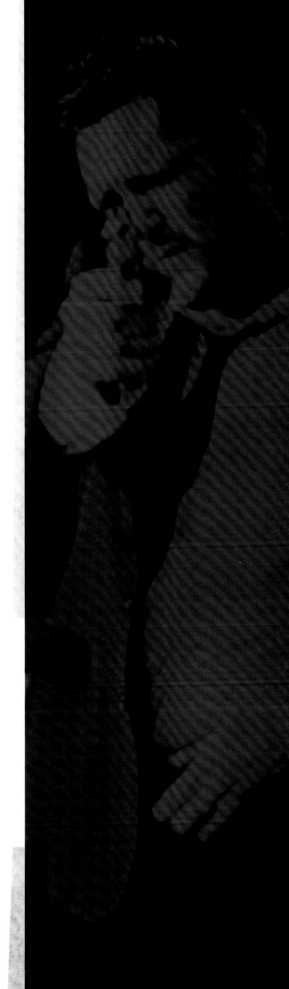

enfant, a déclaré Baltz, et à un moment, dans la répétition, j'ai dit : "J'ai un enfant, maintenant…" et, là, Michael s'est arrêté net. Il a tout arrêté, s'est tourné vers moi, puis vers Quentin et il a lancé : "Je ne veux pas qu'il dise ça !" Alors Quentin a dit : « J'aime ça, on le garde ! » »

Le seul acteur à poser problème au réalisateur est Lawrence Tierney, révélé en 1945 par le rôle de Dillinger, à qui Tarantino a en partie dédié le script (dans lequel on trouve « mort comme Dillinger »). Tierney a fait de la prison pour conduite en état d'ivresse et agression. Avant le début du tournage, lors d'une soirée à l'Actors Studio à New York, Tarantino a rencontré Norman Mailer, qui avait enrôlé Tierney dans une adaptation de son propre roman, *Tough Guys Don't Dance (Les Vrais Durs ne dansent pas)*. « Je lui ai dit : "Hey, vous avez travaillé avec Lawrence Tierney, moi j'envisage de l'embaucher." Il m'a répondu que Tierney était un problème : "Vous savez, Lawrence va vous ralentir de 20 %. Si vous l'acceptez, ça ira bien." Merde, Norman Mailer ! Il vous ralentit de 20 % ! 20 % de conneries, oui ! Un ami m'a dit : "Est-ce qu'il te défie personnellement ?" Non, Lawrence m'aime bien. C'est un gars sympa. Il ne me conteste pas personnellement, il conteste personnellement tout le monde du cinéma. »

Quelques jours après le début du tournage, Tierney commence à reprocher à Michael Madsen de lui faire oublier son texte.

« C'est le deal, exige Tarantino. Je veux que tu t'entraînes avec Michael pour que ce soit bien.

– Je n'ai pas besoin de tes conseils, enculé, grommela l'acteur de soixante-douze ans.

– Va te faire foutre, Larry, répliqua Tarantino. »

Une autre fois, après une journée de tournage, Tierney rentre chez lui, se saoule et décharge son 357 Magnum, les balles entrant dans l'appartement voisin où une famille dort. Il est jeté en prison, puis libéré sous caution. « Il a cinq ans de prison suspendus au-dessus de la tête, fulmine Tarantino. Il a un dossier qui remonte à quarante ans. C'est un criminel, il ne devrait pas avoir d'arme à feu, d'abord. » À la fin du tournage, il n'en peut plus. « Je n'aurais pas dû prendre ce type, » confie-t-il à Chris Penn.

Le montage est terminé seulement trois jours avant le Festival du Film de Sundance de 1992.

Le programme décrit ainsi le film : « Jim Thompson rencontre Samuel Beckett ». Richard Gladstein est dans la salle, et la scène de l'oreille coupée provoque une tempête de protestations. « Pris dans l'action, je n'avais pas réalisé – bêtement, stupidement ignorant que j'étais – que Sundance n'avait jamais présenté de film de ce genre, a déclaré Gladstein à Peter Biskind, journaliste et auteur d'essais sur le cinéma. Regarder le film avec ce public était choquant. Vous auriez entendu ces soupirs. » Tarantino refuse de reculer. Lors de la dernière projection du film au Egyptian Theater, on lui demande : « Comment justifiez-vous toute la violence de ce film ? » Il répond : « Je ne sais pas pour vous, mais moi, j'adore les films violents. Ce que je trouve choquant, c'est toute la merde genre Merchant-Ivory. »

Le film n'obtient aucun prix, mais il est devenu facilement « le film le plus commenté du Festival » lit-on dans le *Los Angeles Times*. « C'était complètement sauvage, se rappelle Tim Roth, ils vendaient des billets dans les bus, pour 100 dollars pièce. » Il manque encore au film un distributeur et Harvey Weinstein, de Miramax, tourne autour du pot, nerveux au sujet de la scène de l'oreille coupée. « Sans cette scène, vous avez un film grand public, dit-il à Tarantino. Avec cette scène vous l'enfermez dans une cage. Ces trente secondes peuvent changer la place du film sur le marché américain. »

Il utilise sa femme Eve et sa sœur Maude comme cobayes. « Pendant la scène de l'oreille, elles ont sauté hors de leurs sièges comme des pantins, dit-il. Et elles sont sorties de la salle sans qu'on puisse les retenir. En sortant, Eve s'est tournée vers moi et m'a dit : "Je me fiche de la qualité du film, c'est dégoûtant !" Elles tournaient en rond devant la salle de projection, m'injuriant, injuriant Quentin, injuriant le film. En colère. » Embarrassé, Weinstein s'excuse auprès de Tarantino. « Je ne l'ai pas fait pour votre femme » lance un Tarantino mordant. Eve et Maude restent dehors pendant un quart d'heure, puis elles retournent dans la salle et regardent la fin du film. « Je pensais que vous détestiez le film, pourquoi êtes-vous revenues ? demande Tarantino.

– Nous voulions connaître la fin, répond Eve. » La scène est conservée…

EN HAUT ET À DROITE : Alors que rien n'est montré à l'écran, la contoverse de la scène de l'oreille coupée a coûté au film une partie de son audience grand public.

« Cette scène ne serait pas aussi perturbante sans la chanson. Vous écoutez la guitare, vous entrez dans le rythme, vous tapez du pied et vous souriez en regardant Michael Madsen danser...
Voom ! C'est trop tard, vous êtes complices. »

« Je veux faire
des films bandants
et je veux qu'ils
viennent du même
endroit que
Reservoir Dogs,
du même artiste,
du même homme. »

PAGES PRÉCÉDENTES : La scène culte du début du générique, sur *Little Green Bag* de George Baker. Tarantino est à droite, dans son rôle de M. Brown.

EN HAUT ET À DROITE : Tarantino tournant les scènes de l'entrepôt avec Harvey Keitel, Steve Buscemi et Kirk Baltz.

Reservoir Dogs est sorti en salles le 23 octobre 1992. C'est la seule date dont nous sommes sûrs. Toutes les tentatives pour mettre une date sur l'action du film sont des suppositions. Oui, les gangsters de Tarantino, assis dans un coffee-shop, parlent de la signification de la chanson de Madonna *Like a Virgin* (1984), mais sinon la culture populaire à laquelle ils font référence : Stealers Wheel, les films de Pam Grier, les séries télévisées *Get Christie Love !* and *Honey West,* nous ramène à l'enfance de Tarantino dans les années 1970, alors que leurs costumes noirs chics et leurs cravates étroites viennent de la décennie précédente. Ils ressemblent à des gangsters des années 1960, aiment le groove de la musique des années 1970 et discourent comme des philosophes de bistrot des années 1990. Nous sommes entrés dans la culture pop bric-à-brac qui remplit l'imaginaire chapardeur de Tarantino, bien représenté plus tard par le Jack Rabbit Slim's, dans *Pulp Fiction,* où on trouve Marilyn Monroe côte à côte avec Buddy Holly, mais seulement parce que Jane Mansfield est en congés, « un musée de cire avec du rythme » comme le décrit Vincent Vega, alias John Travolta, dans ce qui reste, parmi tous ses films, la plus évidente projection du monde de Quentin à l'intérieur d'un film de Tarantino.

Reservoir Dogs n'est peut-être pas datable, mais les premiers commentaires eux, le sont ! Ils nous ramènent en arrière, quand 1992 ressemblait à 1892, vers cette période poussiéreuse et lointaine où Bob Dole grondait Hollywood, devenu un « cauchemar de dépravation », où des universitaires publiaient des articles savants sur la « nouvelle brutalité » dans les films et où Michael Medved s'énervait nuitamment contre la violence des films qui dénigrent les valeurs chrétiennes, font la promotion des relations sexuelles extraconjugales et sont remplis de jurons, alors que les Américains honnêtes craignant Dieu serrent leurs draps sous leurs aisselles pour bien se protéger.

Dans cette atmosphère, sort le film de Tarantino… « La seule chose que M. Tarantino déchiffre, c'est la violence, écrit Julia Salmon dans le *Wall Street Journal.* Ce film ne raconte rien sur rien. C'est juste un exercice flashy, stylistiquement audacieux dans un chaos cinématographique », écrit le *New York Daily News* dans une critique intitulée « *Reservoir Dogs* déborde de violence ».

Même des fans du film souscrivent à la description cavalcade-d'une-infinie-violence. « C'est tellement bien réalisé, la violence est si gratuite et la réception du public est généralement si bonne qu'on doit y prêter

« Je n'avais pas la moindre idée de la manière de tourner la première scène... mais j'étais plus heureux que je ne l'ai jamais été de toute ma vie. Je vivais mon rêve et mon rêve allait être génial. »

«Pour moi, la violence est juste l'une des choses que vous pouvez mettre dans un film. Dire que vous n'aimez pas la violence dans les films, c'est comme dire que vous n'aimez pas les scènes de farce ou de danse.»

attention», a écrit Stanley Kauffman dans le *New Republic*. Vingt-cinq ans plus tard, assez de temps s'est écoulé pour qu'on mette en cause tranquillement les critiques du film: *Reservoir Dogs* n'est pas violent.

Il y a bien une paire de fusillades et nous voyons un flic se faire salement frapper, mais contrairement à la légende, nous n'assistons pas au découpage de l'oreille: quand M. Blonde s'installe sur les genoux du flic, la caméra détourne son regard vers un pan de mur. C'est bien connu, nous ne voyons rien du hold-up lui-même, ni de la crise de folie de M. Blonde dans la banque. Tout ce qui est montré, c'est la préparation et le retour. «Un hold-up mouvementé sans hold-up, un film d'action éperdument amoureux des mots, une ode à la sensualité de la narration, et une tranche de sagesse précoce à propos de la vie», écrit le *L.A.Weekly*, qualifiant Tarantino de «maestro de la saute d'humeur» qui se plaît à brouiller le radar des spectateurs, les menant joyeusement par le bout du nez grâce à des allers-retours de l'hilarité à l'horreur, laissant le public étourdi de joie. Vous riez parce que quelqu'un vient de faire la lumière sur un meurtre. Ensuite, vous riez parce que vous n'auriez jamais imaginé rire d'une chose pareille. Et puis vous riez juste parce que vous riez, parce que le film est sacrément *bon*.

Il n'a pas un pouce de gras : pendant quatre-vingt-treize minutes, il se déplace comme une balle. Il n'est pas étonnant que les gens se soient plaints de la violence : pas la violence infligée par les personnages, ou la violence de leur parler, mais la violence de la forme de film. Scènes d'exposition ? Disparues. Chronologie ? Brouillée, bien qu'aucun flash-back ne soit ressenti comme un flash-back – on n'a jamais d'effort à faire pour revenir à l'entrepôt – et quand nous découvrons l'identité du policier infiltré, le suspense n'est pas entamé. Les enjeux sont juste poussés encore un peu plus loin.

Ces gars-là, forcément, ne peuvent absolument pas se faire confiance les uns aux autres et pourtant, ils ne peuvent pas se permettre de *ne pas* se faire confiance, s'ils veulent aller au fond de ce qui les anime.

MR. PINK

For all we know, he's the rat.

MR. WHITE

That kid in there is dying from a fuckin' bullet I saw him take so don't you be calling him a rat!

M. PINK

Ça pourrait être lui, la balance.

M. WHITE

Ce gars-là est en train de canner d'une putain de balle qu'il a chopée à côté de moi, alors dis pas que c'est une balance !

Le script est construit comme une série de dialogues dans lesquels A tente de convaincre B du contraire de ce qu'il pense. M. Brown tente de persuader tout le monde que *Like a Virgin* est nul, M. Pink tente de convaincre tout le monde que le pourboire est une norme sociétale ridicule, M. White tente de persuader M. Orange qu'il n'est pas en train de mourir, M. Pink tente de persuader M. White qu'ils ont tous été piégés, Le flic tente de convaincre M. Blonde de ne pas le torturer, etc.

MR. WHITE

Me and Joe go back a long time. I can tell you straight up. Joe definitely didn't have anything to do with this bullshit.

MR. PINK

"Oh you and Joe go back a long time." I known Joe since I was a kid. But me saying Joe definitely couldn't have done it is ridiculous. I can say I definitely didn't do it, cause I now what I did or didn't do. But I can't definitely say that about anybody else, cause I don't definitely know. For all I know, you're the rat.

MR. WHITE

For all now you're the rat.

MR. PINK

Now you're using your head.

M. WHITE

Moi et Joe, il y a une paie qu'on gratte ensemble, alors tu peux être certain que Joe n'y est pour rien, dans ce merdier pourri.

M. PINK

Écoute, je connais Joe depuis tout gosse, ça ne veut pas dire que je suis certain qu'il y est pour rien. Ce serait grotesque. Moi, je suis certain que j'y suis pour rien parce que je sais ce que j'ai fait ou pas. Mais en ce qui concerne les autres mecs, là, moi, je suis certain de rien du tout. Ça pourrait être toi, la balance.

M. WHITE

Merde, ça pourrait être toi tout pareil.

M. PINK

Exact, là tu te sers enfin de ta tête.

EN HAUT ET À GAUCHE : Harvey Keitel (M. White) face à un Tim Roth (M. Orange) salement blessé.

EN HAUT : M. Blonde boit tranquillement son soda avant de torturer le policier.

À DROITE : Tarantino dirige Harvey Keitel, sur le tournage des dernières scènes.

Voici le ton breveté Tarantino, dur, agressif, férocement intelligent, sceptique. La voix de quelqu'un qui a été brûlé une fois de trop. Si les hold-up sont en effet une allégorie de la création d'un film, alors chacun des personnages est un scénariste, aménageant et défendant *sa* version des faits contre celles des autres. Quand le flic supplie M. Blonde de ne pas le torturer, sa réponse est effrayante :

MR. BLONDE

Now, I ain't gonna bullshit you. I don't really care about what you know or don't know. I'm gonna torture you regardless. Not to get information, but because torturing a cop amuses me. There's nothing you can say, I've heard it all before. There's nothing you can do. Except pray for a quick death, which you ain't gonna get.

M. BLONDE

Écoute, je vais jouer franco avec toi. Si tu veux la vérité, je m'en cogne de ce que tu sais ou non, mais je vais te torturer rien qu'un peu, pour la rigolade, pas pour te faire parler. C'est marrant, je trouve, de faire danser un flic. Fais pas de numéro, je les connais tous par cœur. À ta place, moi je prierais pour que ça finisse vite. Mais ça, il faut pas y compter.

Le cadrage de Tarantino sur Madsen est formidable : regardez le lent travelling qui le dévoile dans l'entrepôt, sirotant son soda. Le réalisateur sait que ce qu'il laisse hors de l'image est aussi important que ce qu'il met dans le cadre.

Le plus effrayant, dans la scène de la torture, ce n'est pas le moment où il coupe l'oreille, que nous ne voyons pas, mais le long plan suivant à la Steadicam, où nous suivons M. Blonde quand il sort de l'entrepôt pour prendre le bidon d'essence dans le coffre de sa voiture. La musique de la bande-son s'efface pour laisser place à des chants d'oiseaux et des cris d'enfants qui jouent. C'est presque comme si une fissure dans le cinéma lui-même s'était ouverte, laissant entrer le monde de la lumière du jour, et au-delà, la rupture du charme au moment où on réalise sa puissance. « C'est vraiment mon plan préféré dans le film,

l'une des choses que je préfère dans tout ce que j'ai fait au cinéma » dira Tarantino plus tard. « Dans le même plan, il prend le bidon et retourne dans l'entrepôt et… Voom ! On repart sur la chanson, il revient dans la danse… Pour moi, c'est du pur cinéma. »

Un autre exemple : le passage de la fin du générique à la deuxième scène, où M. Orange se tortille, à l'agonie, sur le siège arrière de la voiture. Tarantino se sert d'un fondu, l'un de ses outils les plus puissants, comme *Pulp Fiction* le prouvera, pour que nous entendions les gémissements de M. Orange avant de le voir, et l'effet est impitoyable mais proche du grotesque : une minute avant, ils sortent du restaurant en chahutant, leur gouaille résonne encore dans nos oreilles, avec *Little Green Bag* de George Baker en bande-son et là, ils sont en sang à l'arrière d'une voiture, pleurant et se berçant l'un l'autre, leurs plans en lambeaux, leur machisme dépouillé. En un fondu, Dieu, ou sa meilleure incarnation, le réalisateur, décompresse le plan.

« Comme Huston et Kubrick, qui ont utilisé leurs plans de hold-up complexes (mais bâclés) pour démontrer l'absurdité existentielle d'un crime parfait, Tarantino, dans *Reservoir Dogs*, a réalisé une comédie nihiliste sur la manière dont la nature humaine sapera toujours les plans les mieux établis » a écrit Owen Gleiberman dans *Entertainment Weekly*.

Pendant ce temps, sortie des pauvres condamnés, M. Blue (Eddie Bunker) et M. Brown (Quentin Tarantino), inconscients du sort qui les attendait. « Dans la scène d'ouverture, ces gars-là ne savent pas qu'ils ne sont que des personnages périphériques, a déclaré Tarantino. De leur point de vue, ils sont les stars du film, vous savez ? »

Ici, on rencontre, à l'état embryonnaire, l'univers pop héroï-comique de *Pulp Fiction*, dans lequel le personnage principal d'une histoire est un partenaire secondaire de la suivante, tous souscrivant à la croyance réconfortante, parfois illusoire, que, dans le film de leur vie, ils sont la star. Tarantino ressasse l'idée d'un film constitué d'une série d'histoires depuis l'époque de Video Archives, quand il a pensé à une série de films connectés entre eux, un peu comme la « trilogie du milieu » (1972-1973)

de Fernando Di Leo : *Milano Calibro 9 (Milan
calibre 9)*, *La mala ordina (L'Empire du crime ou
Passeport pour deux tueurs)* et *Il boss (Le Boss)*,
qui met en scène un homme de main qui double
son propre patron et un duo de tueurs, l'un noir,
l'autre blanc, dont les personnalités entrent en
conflit. Pendant le montage de *Dogs*, l'idée
trouve son aboutissement. Et s'il faisait, non pas
une suite d'histoires, mais plutôt quelque chose
de proche de la famille Glass de J. D. Salinger,
dont les membres se déplacent d'une nouvelle à
une autre, l'acteur principal d'une histoire étant
un personnage secondaire dans une autre et un
figurant dans une troisième. « J'aime l'idée que
ces personnages puissent être les stars de leur
propre film et, de leur point de vue, quand ils
apparaissent, c'est ce qu'ils sont. »

Lors de sa sortie aux États-Unis, *Reservoir
Dogs* rapporte seulement 3 millions de dollars,
mais au niveau international, c'est un succès,
avec 22 millions de dollars (310 000 entrées en
France). « Il a signé des autographes pendant
un an », dit sa manager Cathryn Jaymes. Cela
aussi nourrit son prochain film, cette tournée
mondiale victorieuse de présentation du film
dans de nombreux festivals. La petite amie
d'un personnage devient Française (Fabienne :
Maria de Medeiros) et une autre Irlandaise
(Julie : Bronagh Gallagher). Il fait un moment
de ses deux tueurs à gages des Anglais, en
pensant à Tim Roth et Gary Oldman et attribue
à l'un des deux un récent séjour à Amsterdam,
tout en les enrichissant d'observations extraites
du voyage qu'il fait à Paris pour une rétrospective
John Cassavetes. « À Paris, on peut boire de la
bière dans les MacDonald's, note-t-il, incrédule.
Et le "Quarter Pounder with Cheese", parce
qu'ils ont le système métrique, s'appelle "Royal
Cheese". Ils n'ont même pas idée de ce qu'est
un putain de quart de livre… »

PULP
FICTION

1994

« **Les gens sortaient de *Pulp Fiction* en disant : "Waouh ! Je n'ai jamais vu de film comme ça. Un film peut faire ça ?"** »

Déjà, quand Tarantino travaillait à Video Archives tout en essayant de trouver un moyen de réaliser un film sans en avoir les moyens, il est séduit par l'idée d'un film à sketches. « Les histoires seraient archi-classiques. Vous les avez lues un milliard de fois, celle du gars qui est censé sortir la femme du patron mais qui ne la touche pas, ou celle du boxeur qui est censé truquer le combat mais qui ne le fait pas. » La troisième histoire est « un peu comme les cinq premières minutes de chaque film de Joel Silver » : deux tueurs à gages vont tuer quelqu'un. « Ils ont l'air vraiment sinistre et vicieux, comme de vrais méchants, comme ceux de *Dogs*. Ensuite, je passe le reste du film à déconstruire ces personnages. Vous les suivez tout au long de la matinée, vous voyez que leurs vêtements sont sales, sanglants et froissés… Ils se décomposent littéralement sous vos yeux. »

Dans les interviews, Tarantino présente toujours le film comme une composition de trois histoires dans le genre des nouvelles écrites dans les années 1920 et 1930 par les émules de Raymond Chandler et Dashiell Hammett pour les magazines bon marché *(pulp magazines)*. Mais comme on le voit avec sa référence à *Reservoir Dogs,* il a l'intention de déconstruire son propre mythe d'«obsédé des armes à feu» et d'adresser un bras d'honneur à ceux qui l'ont attaqué sur le casting entièrement masculin de *Dogs.* «Le personnage le plus intéressant que j'ai jamais écrit est Mia, parce que je ne sais pas d'où elle vient, dit-il. Je ne savais rien de plus sur elle que Vincent. Tout ce que je savais, c'étaient des rumeurs. Je ne savais pas du tout qui elle était, jusqu'à ce qu'ils arrivent au Jack Rabbit Slim's et qu'elle ouvre la bouche. Et là, tout d'un coup, ce personnage a émergé

avec sa propre façon de parler. Je ne sais pas d'où elle vient et c'est pour ça que je l'aime.»

Avec les 50 000 dollars reçus pour *Reservoir Dogs,* et la promesse de 900 000 dollars de TriStar Pictures pour *Pulp Fiction,* Tarantino remplit sa valise de romans noirs et s'envole pour Amsterdam, où il s'installe dans une chambre qui donne sur un canal, sans téléphone ni fax. Il se lève, marche dans Amsterdam, boit une douzaine de cafés et passe sa matinée à écrire, sur une dizaine de cahiers achetés spécialement. Entre ses séances d'écriture, il regarde d'obscurs films de gangsters français, lit *No Good from a Corpse* de Leigh Brackett et les journaux d'Anaïs Nin, tout en continuant à accompagner *Reservoir Dogs* dans sa tournée mondiale.

À la lecture du projet final, 159 pages achevées en mai 1993, avec les mots "Dernier État" sur la

À GAUCHE : S'il a propulsé son réalisateur au sommet, *Pulp Fiction* a aussi révélé Samuel L. Jackson (Jules Winnfield) à Hollywood et ramené John Travolta (Vincent Vega) sous les projecteurs.

EN HAUT : Mia (Uma Thurman) fait de son mieux pour détendre la situation à son arrivée avec Vincent au Jack Rabbit Slim's.

EN HAUT ET EN BAS : Pumpkin (Tim Roth) et Honey Bunny (Amanda Plummer) préparent leur attaque à main armée du restaurant.

À DROITE : Les acteurs d'un casting sympa : Samuel L. Jackson (Jules), Uma Thurman (Mia), John Travolta (Vincent) et Bruce Willis (Butch).

couverture pour devancer toute interférence du studio, Mike Medavoy, de TriStar, passe son tour. « Ils avaient peur. Et ils ne pensaient pas que ça allait être marrant, explique Tarantino, qui avait joint au scénario une liste d'acteurs. Sur ma liste, on lisait, par exemple, pour le rôle de Ringo : "ce rôle sera offert à Tim Roth" (qui l'a finalement joué). Si Tim Roth refusait, ce rôle serait offert à la personne suivante sur la liste, et ainsi de suite. Pas de concession. Ce serait comme ça. Medavoy a lu la liste et nous avons eu une grande réunion à ce sujet au cours de laquelle il m'a dit :

– Tim Roth est un très bon acteur, mais Johnny Depp est aussi sur votre liste. Je préfère offrir le rôle à Johnny Depp. Et s'il refuse, à Christian Slater. C'est mon ordre dans la liste.

– Pensez-vous réellement que Johnny Depp dans le rôle de Ringo, qui apparaît seulement dans la première et dans la dernière scène du film, pensez-vous réellement que ça fera un dollar de différence au box-office ?

– Ça ne fera pas un sou de plus, mais je me sentirai mieux.

– Il n'y a rien d'autre à dire. Vous avez tout dit. Je ne veux pas faire des films comme ça. »

Tous les grands studios refusent le projet, jusqu'à ce que Bender le passe à Harvey Weinstein, le patron et cofondateur, avec son frère Robert, de Miramax. Il commence à le lire en partant en vacances à Martha's Vineyard. « Qu'est-ce que c'est que ça, un putain d'annuaire téléphonique ? » demande-t-il devant les 159 pages. Trois heures plus tard, il appelle Richard Gladstein, devenu directeur de production pour Miramax, qui racontera plus tard leur conversation à l'auteur Peter Biskind :

« Oh mon Dieu, c'est brillant. La scène d'ouverture est incroyable. Est-ce ça reste aussi bon après ?

– Ça reste aussi bon.

– D'accord, ne pars pas du bureau, je continue à lire. »

Quarante-cinq minutes plus tard, Weinstein rappelle :

« Le personnage principal vient de mourir !

– Exact !

– C'est quoi la fin ?

– Harvey, continue à lire !

– Richard, est-ce que c'est une fin heureuse ?

– Oui.

– Oh mon Dieu ! Il revient ! C'est ça, hein ? Je te rappelle. »

Une demi-heure plus tard, il rappelle :

« Merde, nous devons faire ce film.

« À l'époque, j'étais surtout excité par un casting sympa. J'aimais l'idée de prendre un acteur que j'avais toujours aimé mais qui n'était plus beaucoup utilisé, pour le faire jouer dans le film et montrer aux gens ce qu'il pouvait faire. »

« Ce que je voulais vraiment, c'était construire un roman à l'écran, avec des personnages qui entrent et qui sortent, qui ont leur propre histoire mais qui peuvent apparaître dans celles des autres. »

C'est incroyable… Commence à négocier ! »
Un peu plus tard, il appelle à nouveau :
« Ça y est, c'est fait ?
– Je suis en plein dedans.
– Dépêche-toi ! Nous faisons ce film. »
Dans un premier temps, Tarantino ne pense pas à Travolta pour jouer le tueur Vincent Vega. Il l'a écrit pour Michael Madsen et s'il approche Travolta, c'est pour jouer Seth Gecko dans son script de film de vampires, *From Dusk till Dawn (Une Nuit en enfer),* qu'il a écrit des années auparavant, mais qui refait surface maintenant, dans le sillage du succès de *Reservoir Dogs.* Depuis son expérience avec Tim Roth, le réalisateur a pris l'habitude de passer au moins une journée à traîner avec tout acteur qu'il envisage d'engager dans un rôle principal. Il invite Travolta dans son appartement sur Crescent Heights, à l'ouest de Hollywood. « D'accord, laisse-moi te décrire ton appartement dit Travolta, encore à la porte. Ta salle de bains a ce genre de carrelage, etc. Je le sais parce que c'est le premier appartement où j'ai vécu quand je suis arrivé à Hollywood. J'y étais quand je jouais la série *Welcome Back, Kotter.* »
Ils parlent jusqu'au lever du soleil, tout en jouant avec la collection de jeux de société basés sur *Grease* et *Saturday Night Fever* de Tarantino. « Jouer avec John était cool, dit-il. C'était mon rêve de faire un jeu *Reservoir Dogs* ». Enfin,

il discute avec Travolta de l'état actuel de sa carrière. Il n'a pas pu voir *Look Who's Talking Too* (Allo maman, c'est encore moi). « Est-ce que tu te souviens de ce que Pauline Kael a dit sur toi ? lui demande-t-il. De ce que Truffaut a écrit sur toi ? Et Bertolucci ? Tu sais ce que tu représentes pour le cinéma américain, John ? » À la fois blessé et touché par cet état des lieux de sa carrière (« Comment pouvez-vous ne pas réagir à ça ? »), Travolta néanmoins n'est pas tenté par *Une Nuit en enfer*. « Je ne suis pas un personnage de vampire » lui dit-il.

« Après avoir rencontré John, je continuais à penser à lui chaque fois que j'écrivais », dit Tarantino, et quand Michael Madsen accepte un rôle dans *Wyatt Earp*, une copie du script de *Pulp Fiction* arrive à la porte de Travolta, avec une note écrite à la main qui dit tout simplement : « Regarde Vincent ». Après l'avoir lu, Travolta répond : « C'est l'un des meilleurs scénarios que j'ai jamais lus, l'un des meilleurs rôles que je pourrais jamais avoir, mais bonne chance, je ne pense pas que tu pourras me l'obtenir. »

Effectivement, Tarantino doit se battre. Harvey Weinstein veut Sean Penn ou Daniel Day Lewis. James Gandolfini est également dans la course. Lors d'un appel téléphonique à Harvey et Bob Weinstein, tard dans la nuit, l'agent de Tarantino, Mike Simpson, martèle ses demandes de contrôle du montage final *(final cut)*, de durée de deux heures et demie du film et de choix final des acteurs, assénant : « Tu vas accepter et tout de suite, ou il n'y a pas d'accord. Nous avons deux autres acheteurs qui attendent dehors. Tu as quinze secondes pour accepter. Si je raccroche, c'est fini… » Harvey ne cessait de parler, d'argumenter, et je lui ai dit : « Okay, quinze, quatorze, treize… » Quand je suis arrivé à huit, Bob a lancé : « Harvey, nous devons dire oui. » Et Harvey dit : « Merde, allez, OK ! »

Les Weinstein respirent plus aisément quand ils engagent Bruce Willis, grand fan de *Reservoir Dogs*, qui voulait travailler avec le jeune metteur en scène, même si cela signifiait pour lui une réduction de son cachet. Il avait touché sur *Die Hard 2 (58 Minutes pour vivre)* l'équivalent du budget complet de *Pulp Fiction*. Au départ, il est peu enthousiasmé par le rôle de Butch, se

rappelle Mike Simpson : « Quoi ? Je n'ai pas le rôle principal ? Je vais être ligoté par un pauvre plouc chez un prêteur sur gages alors que John Travolta se tape le rôle principal ? » Bruce Willis change d'avis après avoir rencontré Tarantino lors d'un barbecue chez Harvey Keitel. Ils sont allés tous les deux se promener sur la plage. « L'une des raisons pour lesquelles je voulais Bruce Willis dans *Pulp Fiction* est que pour moi, Bruce était la seule star du moment qui pourrait être une star des années cinquante » a déclaré Tarantino, qui avait entendu qu'il était difficile de travailler avec lui. « Il n'est pas possible d'entendre de plus mauvaises rumeurs à propos de quelqu'un, sur sa façon de vous dire quel objectif il fallait utiliser. » En fin de compte, l'acteur ne lui demandera de changer qu'un seul mot de son script : « Je suis désolé, bébé, j'ai cassé la Honda » au lieu de « voiture ». Tarantino reconnaît que c'est plus drôle comme ça. « Après avoir travaillé avec Bruce, je n'écouterai plus jamais les rumeurs sur la difficulté à travailler avec telle ou telle star. Je retravaillerais avec lui dans la seconde. »

À GAUCHE : « Je retravaillerais avec lui dans la seconde. » La facilité avec laquelle la star Bruce Willis s'est coulée dans le film a surpris Tarantino.

EN HAUT : Selon son habitude, il murmure ses directives à l'oreille de John Travolta.

« Le personnage le plus intéressant que j'ai jamais écrit est Mia, parce que je ne savais pas d'où elle venait. Je ne savais pas du tout qui elle était jusqu'à ce qu'ils arrivent au Jack Rabbit Slim's et qu'elle ouvre la bouche. »

Avec Bruce Willis à bord, Miramax peut vendre les droits à l'étranger pour 11 millions de dollars et récupérer ainsi l'investissement initial de 8,5 millions de dollars des Weinstein du même coup. À Sundance, Tarantino avait bien dit à Samuel L. Jackson que le rôle de Jules était pour lui, mais il manque de le perdre après l'audition de l'acteur portoricain Paul Calderon, que le réalisateur applaudit. Weinstein appelle Jackson et l'exhorte à sauter dans un avion pour Los Angeles pour « exploser les couilles [de Tarantino] ». Il arrive à la salle d'audition en colère, fatigué et affamé, un hamburger dans la main, accueilli par quelqu'un du bureau de casting avec un : « J'adore votre travail, M. Fishburne. » Il est furieux. « Sam est arrivé avec un hamburger dans une main et un gobelet dans l'autre, empestant le fast-food, a déclaré Richard Gladstein à *Vanity Fair*. Quentin, Lawrence Bender et moi étions vautrés sur le canapé. Il est entré et il nous regardait devant lui en sirotant son soda à la paille

et en mordant dans ce hamburger. J'avais la trouille. Je pensais que ce gars allait sortir une arme à feu et me tirer dans la tête. Ses yeux étaient exorbités. Et il a emporté le morceau. »

À peu près toutes les actrices de Hollywood ont auditionné pour le rôle de Mia Wallace : Michelle Pfeiffer, Meg Ryan, Holly Hunter, Rosanna Arquette… mais Tarantino sait presque tout de suite que c'est Uma Thurman qu'il veut. « Dans le vol du retour vers L.A., je voyais dans ses yeux que c'était Uma », a raconté Bender. Elle refuse d'abord le rôle, rebutée par la scène de viol du personnage de son mari, Marsellus Wallace, mais après un dîner de trois heures à The Ivy à Los Angeles, suivi d'une discussion marathon chez elle, à New York, sur la différence entre le viol des hommes et le viol des femmes, elle signe. « C'était comme une rencontre amoureuse, a déclaré Bender. Chacun avait peur de se déclarer le premier à l'autre de peur qu'il dise non. C'était comme s'ils dansaient un slow tous les deux. »

EN HAUT ET À GAUCHE : Uma Thurman est rapidement devenue la muse de Tarantino sur le tournage.

EN BAS : Samuel L. Jackson a sidéré le réalisateur et les producteurs lors de son audition pour le rôle de Jules Winnfield, première de ses six collaborations avec Tarantino.

Elle ne fut pas la seule à être perturbée par cette scène, qui s'est avérée clivante pour presque tous les acteurs noirs auxquels Tarantino a parlé du rôle de Marsellus. «Il est très difficile de parler à un homme noir d'un personnage qui est violé, raconte Tarantino à *Playboy*. Après l'audition de Ving Rhames, je pensais: "Pourvu qu'il n'ait pas ce problème autant que tous les autres, parce qu'il est tellement bon!" Ving a senti ça et m'a dit: "Je peux te demander jusqu'où ce merdier va être explicite?" Je lui ai répondu: "Ça ne va pas être si violent que ça, mais tu vas te rendre compte de ce qui se passe. Ça te pose un problème?" Il m'a répondu: "Non, pas de problème, et puis tu sais, vu ce que je suis, on ne m'offre pas beaucoup de personnages vulnérables. Ce gars pourrait finir par être l'enculé le plus vulnérable que je ne jouerais jamais."» Lors du tournage de la scène de viol, tout va

bien jusqu'à ce que Tarantino demande à Duane Whitaker, qui joue Maynard, son violeur, de lancer un «Yee haw!» sauvage au moment où il se lâche. Ving se tourne alors vers le réalisateur et lui demande: «Okay, on va voir ses fesses, non? Et alors, qu'est-ce qui va protéger ça?» Et il montre le bas-ventre de Whitaker.

«On ne verra pas ça, tente de le rassurer Tarantino.

– Je ne parle pas de ce que tu vas montrer ou pas. Je me fiche de savoir si tu la filmes ou pas, si elle est dans le champ ou pas. Je ne veux juste pas que sa bite touche mon cul. Qu'est-ce que tu vas faire pour ça?»

Un accessoiriste apporte alors un sac à bijoux en velours turquoise. Tout le monde éclate de rire sur le plateau pendant que Ving lance: «Duane, tu vas mettre ta bite dans ce petit sac et comme ça moi, je serai tranquille.»

Le tournage commence le 20 septembre 1993, au Hawthorne Grill, dans la banlieue de Los Angeles, le premier des soixante-dix lieux et plateaux du film, où le couple joué par Tim Roth et Amanda Plummer passe du petit-déjeuner au hold-up. En baggy en velours côtelé, tee-shirt Speed Racer coloré et blouson en daim débraillé, Tarantino saute partout comme un enfant dans un parc d'attractions, beaucoup plus détendu et confiant que le débutant anxieux du tournage de *Dogs*.

Il emploie une grande partie de la même équipe, avec le directeur de la photographie Andrzej Sekula, la monteuse Sally Menke, la créatrice de costumes Betsy Heimann et le chef décorateur David Wasco, qui construit le plateau principal du film, une re-création à 150 000 dollars, dans un entrepôt à Culver City, d'un *diner* du plus pur style *"googie"* des années 1950, nommé Jack Rabbit Slim's, truffé de références cinématographiques kitsch, avec des affiches de films de Roger Corman, des boxes constitués de voitures et un énorme indicateur de vitesse sur la piste de danse. Tarantino se sent « créatif et imaginatif… Je vis tout simplement mon rêve. »

Sur le plateau, il a fait venir son vieil ami Craig Hamann, un ex-toxicomane qui conseille les acteurs sur la manière de caresser avec amour le matériel (aiguille et cuiller) et sur la façon dont une montée d'héroïne vient par vagues. Ce qui ressemble le plus à une montée d'héroïne, dit-il à Travolta, c'est de « boire autant de tequila que tu peux et de te jeter dans une piscine chauffée ou dans un bain bien chaud. » Travolta et sa femme s'empressent de le tester avec plaisir dans la suite de leur hôtel.

La scène dans laquelle Mia en overdose est réanimée par une bonne dose d'adrénaline dans le cœur est filmée à l'envers, pour la précision. « Nous avions des idées différentes sur la façon dont elle réagirait à la prise d'adrénaline, dit Uma. Ce qui m'a aidé, c'est quelque chose que je n'ai pas vu, mais dont j'ai entendu parler par l'équipe des *Aventures du baron de Munchausen*. Ils avaient mis sous sédatif un tigre, en Espagne, pour filmer en sécurité, mais avec une trop forte dose. Ils ont dû lui envoyer de l'adrénaline pour le faire revivre. C'est ça qui m'a inspirée. »

EN HAUT :
Tournage de l'overdose de Mia. C'est la Chevrolet Malibu rouge cerise de Tarantino qu'on aperçoit à droite.

Tarantino sur le plateau du Jack Rabbit Slim's créé par David Wasco.

À GAUCHE : Ving Rhames n'avait a priori aucune appréhension à endosser le rôle de Marsellus Wallace.

« Le montage, c'est souvent laborieux, mais ce fut une séquence excitante à construire, parce qu'elle avait sa propre dynamique et une évidente magie : j'avais Travolta qui dansait devant moi. »
Sally Menke

Mais la scène qu'Uma redoute le plus est la danse avec Travolta. Tarantino lui montre une vidéo de *Bande à part* de Godard, où Anna Karina danse sans chorégraphie, comme une adolescente dans sa chambre, pas comme un danseur sur scène. La technique de danse n'a pas d'importance, dit-il. Il veut que Travolta et elle s'amusent.

« Quentin voulait un Twist, a raconté Travolta. Et je lui ai dit : "Eh bien, Little Johnny Travolta a remporté un concours de Twist à huit ans, j'en connais toutes les versions. Mais il y avait plein d'autres danses très à la mode à cette époque. Il y avait le Batman, le Hitchhiker, le Swim…" Et je lui ai montré, et ça lui a bien plu. J'ai dit : "Je vais apprendre tous les pas à Uma et, quand tu voudras qu'on change, tu nous diras." » Tarantino filme la scène la caméra à la main, en criant : "Watusi ! Hitchhiker ! Batman !" tout en tournant et en dansant à côté d'eux en sweat-shirt et baggy. À la fin de cette longue journée, il applaudit ses stars.

« Cette scène de danse dans le Jack Rabbit Slim's, avec Uma Thurman et John Travolta, était inhabituelle, parce qu'elle a été filmée en play-back, avec la vraie chanson de Chuck Berry, a raconté la monteuse Sally Menke. C'était du coup facile à monter et, mon Dieu, c'était super. Nous avons bavardé sur l'utilisation des plans larges, des gros plans et des zooms sur les mains. Le montage, c'est souvent laborieux, mais ce fut une séquence excitante à construire, parce qu'elle avait sa propre dynamique et une évidente magie : j'avais Travolta qui dansait devant moi. »

Le tournage terminé le 30 novembre 1993, un premier montage approximatif de Tarantino ramène le film à une durée de trois heures et demie et la première fois qu'il est projeté, le projectionniste demande à Menke : « Est-ce que j'ai mélangé les bobines ? ». L'un des plus grands défis restants est de couper dans la séquence du Jack Rabbit Slim's, à l'origine ponctuée de beaucoup de longs silences dont Mia Wallace fait l'éloge dans le script (« Pourquoi pensons-nous qu'il est nécessaire de caqueter à propos de conneries pour nous sentir à l'aise ? »). La première rencontre de Vince et Mia, chez elle, est également au départ beaucoup plus longue, Mia filmant en vidéo Vincent (qu'on voit à travers la caméra, en noir et blanc vidéo), tout en lui posant les questions d'un quiz de culture populaire :

MIA

Now I'm gonna ask you a bunch of quick questions I've come up with that more or less tell me what kind of person I'm having dinner with. My theory is that when it comes to important subjects, there's only two ways a person can answer. For instance, there's two kinds of people in the world, Elvis people and Beatles people. Now Beatles people can like Elvis. And Elvis people can like the Beatles. But nobody likes them both equally. Somewhere you have to make a choice. And that choice tells me who you are.

VINCENT

I can dig it.

MIA

I knew you could. First question, *Brady Bunch* or *The Partridge Family*?

VINCENT

The *Partridge Family* all the way, no comparison.

MIA

On *Rich Man, Poor Man*, who did you like, Peter Strauss or Nick Nolte?

VINCENT

Nick Nolte, of course.

MIA

Are you a *Bewitched* man, or a *Jeannie* man?

VINCENT

Bewitched, all the way, though I always dug how Jeannie always called Larry Hagman, "Master!"

MIA

Maintenant, je vais te poser un tas de questions rapides pour savoir plus ou moins avec quel genre de type je vais dîner. Ma théorie est que lorsqu'il s'agit de sujets importants, il y a seulement deux façons de répondre. Par exemple, il y a deux sortes de personnes dans le monde, les Elvis et les Beatles. C'est vrai, ceux qui aiment les Beatles peuvent aimer Elvis. Et les fans d'Elvis peuvent aimer les Beatles. Mais ce n'est pas pareil, personne n'aime autant les deux. Quelque part, on est obligé de faire un choix. Et ce choix me dira qui tu es.

PAGES PRÉCÉDENTES : Tarantino a filmé la scène de danse de Mia et Vincent avec une caméra à l'épaule, virevoltant autour d'eux.

À GAUCHE ET EN HAUT : « Une magie évidente. » Pour le montage des scènes du Jack Rabbit Slim's, Menke et Tarantino ont mis l'accent sur l'alternance de très gros plans et de plans larges afin de conserver le bon équilibre entre tension et intimité.

VINCENT

C'est parti.

MIA

Je le savais. Première question : *The Brady Bunch* ou *The Partridge Family* ?

VINCENT

The Partridge Family, à fond, c'est pas comparable.

MIA

Dans la série *Le Riche et le Pauvre*, qui tu choisis, Peter Strauss ou Nick Nolte ?

VINCENT

Nick Nolte, bien sûr.

MIA

Tu es *Ma Sorcière bien-aimée* ou *Jinny de mes rêves* ?

VINCENT

Ma Sorcière bien-aimée, d'un bout à l'autre, même si j'ai toujours aimé la façon dont Jinny appelle Larry Hagman : "Maître !"

EN BAS : Recevant la Palme d'Or
du 47e Festival de Cannes, en 1995.

À DROITE : Avec l'affiche du film,
devenue une vértable icône.

À l'approche de la sortie du film, Tarantino fait ce qu'il peut pour réduire les attentes, mettant en avant le film de Damon Wayans *Mo' Money (Plus de blé)*, qui a fait 34 millions de dollars de recettes avec un budget de 8 millions de dollars, mais Harvey Weinstein a d'autres plans. En mai, Miramax envoie une partie de l'équipe du film au Festival de Cannes, où Weinstein met en œuvre ce qu'il a appelé une stratégie de rideau de fer pour le film : une seule projection de presse le matin de la soirée, pour un plus grand impact. Quand l'article dithyrambique de Janet Maslin paraît dans le *New York Times* : « une œuvre d'une telle profondeur, d'une telle intelligence et d'une originalité si flamboyante qu'elle le place au premier rang des cinéastes américains », il en fait des copies qu'il glisse sous les portes des membres du jury. Tarantino dit à Weinstein qu'il ne viendra pas à la soirée de clôture si *Pulp Fiction* n'a pas de prix, comme *Reservoir Dogs* à Sundance, mais, la nuit précédant la remise des prix, le président du festival, Gilles Jacob, exhorte Weinstein à venir avec toute son équipe à la cérémonie.

« On pensait recevoir un prix pour le scénario ou la réalisation, un prix comme ça, a raconté Weinstein. Tous les prix défilent et je glisse à Quentin : "Je pense qu'on va toucher le gros lot." »

Je sautais sur mon siège, Quentin me regardait avec une moue genre "bah" et puis – bang ! – Clint Eastwood s'est levé pour annoncer la Palme d'Or de *Pulp Fiction*. Dieu merci, Bruce Willis était là pour me calmer. » Quand une femme proteste en criant « *Pulp Fiction*, c'est de la merde ! », Tarantino lui fait un doigt d'honneur. « Je ne fais pas des films pour rassembler les gens, annonce-t-il lors des remerciements, je fais des films qui divisent les gens. »

Après la cérémonie, Bruce Willis organise une fête à l'Hôtel du Cap, dont il règle lui-même les 100 000 dollars. Finalement, il est plus en déficit que Travolta, qui pense qu'avec les vols dans son avion privé et l'hôtel pour sa femme et ses enfants, il a fini par payer 30 000 dollars pour avoir le privilège d'apparaître dans le film de Tarantino. « Je pense que ça m'a coûté de l'argent de faire ce film, dit-il. Mais ça valait la peine. Le scénario de Quentin, c'est comme du Shakespeare. »

Tarantino avait tort. Il ne fait pas que des films qui divisent les gens. Il fait des films qui rassemblent *et* divisent les gens, les font se rencontrer par accident, se mettre en pièces les uns les autres, puis aller prendre un petit-déjeuner crêpes-et-bacon au Hawthorne. « Tout le monde connaît la vieille distinction d'E. M. Forster entre histoire et intrigue : "Le roi est mort, alors la reine

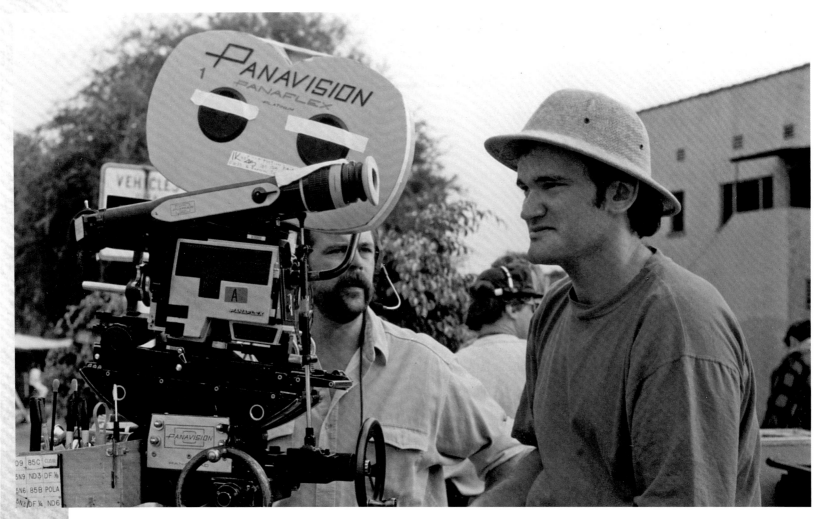

> **« J'étais très créatif et plein d'imagination.
> J'étais en train de vivre mon rêve. »**

est morte" est une histoire. "Le roi est mort, alors la reine est morte de chagrin" est une intrigue, a rappelé Anthony Lane aux lecteurs du *New Yorker* dans son analyse de *Pulp Fiction,* lors de sa sortie en salles. Très bien, continue-t-il, mais ce que Forster a omis de prévoir est l'émergence d'une troisième catégorie, l'intrigue à la Quentin Tarantino, quelque chose comme : "Le roi est mort en baisant sur le capot d'une Corvette vert citron et la reine est morte d'une contamination par du crack provenant du bouffon de la cour, avec qui elle tenait une joyeuse conversation sur les mérites comparés des sodas Tab et Diet Pepsi, tranquillement assise, regardant saigner les seigneurs et leurs dames qu'elle vient de descendre au pistolet dans un moment de colère. »

Même aujourd'hui, après une douzaine de visionnages, après avoir incrusté chaque dialogue dans nos mémoires et après mille et une imitations remplies de discussions de voyous sur le Coca-Cola ou le fromage râpé, disparues aussi vite qu'elles sont apparues, on peut revoir le chef-d'œuvre malicieux de Tarantino et être surpris. Un hold-up dans un restaurant (« On ne braque jamais les restaurants, pourquoi ? ») interrompu par un besoin urgent. Un homme de main assassiné assis sur les toilettes. Une victime d'overdose tombant en

plein milieu d'une dispute conjugale tout droit sortie de *Jinny de mes rêves.* Un boxeur qui fait un enfant dans le dos à son impassible patron – un dur dont la rumeur prétend qu'il a fait jeter par la fenêtre du troisième étage un gars qui a massé les pieds de sa femme –, pour finir par retomber sur le caïd portant un carton de fast-food et des sodas, à une intersection de banlieue. Le boxeur fonce sur lui avec sa Honda, percutée alors par une autre voiture. Les deux hommes, blessés, se pourchassent jusqu'à un magasin de prêteur sur gages, où ils sont pris en otage par de petits blancs suprémacistes sadomasos, le combat titanesque des deux hommes soudain devenu ridicule, oublié par cette incursion monstre d'un troisième élément dans l'intrigue. « La structuration du film lui permet de

À GAUCHE : Un Tarantino sérieux, sur le tournage de la scène de l'accident de voiture où Butch et Marsellus se retrouvent.

À DROITE : Tarantino et le producteur Lawrence Bender pendant une pause, avec Bruce Willis et Maria de Medeiros, qui joue la petite amie française de Butch, Fabienne.

Tarantino dirige Maria de Medeiros.

« Je n'ai pas besoin que vous me disiez à quel point mon café est bon. » Tarantino endosse le peignoir de Jimmie, qui aide Jules et Vincent, et surtout M. Wolf, à se débarrasser du corps de Marvin.

mettre en avant des personnages tellement impuissants, interconnectés et esseulés en même temps, qu'il fait toucher du doigt le mystère du monde et la mesquinerie de ses habitants », écrit Sarah Kerr dans le *New York Review of Books*, ajoutant simplement : « les *couch potatoes* (les "patates de sofa", molassons qui passent leur vie vautrés devant un écran – NdT) ont produit leur premier génie. »

La méthode Tarantino consiste à choisir des stéréotypes de genres, familiers même aux plus superficiels des aficionados et à leur infliger des éraflures et des marques d'usure d'un univers étonnamment proche du nôtre, où les armes s'enrayent, où les gens ont besoin de pisser et où c'est parfois la merde. Cette juxtaposition était déjà là dans *Reservoir Dogs*, mais à l'intérieur d'une forme étroitement contrôlée, entre ce que les membres du gang racontent (discuter sur Madonna) et ce qu'ils font (cambrioler des banques). Si *Dogs* est le film dans lequel Tarantino s'est révélé, *Pulp Fiction* est le film où il s'est fait plaisir.

Le film débute par le hold-up impromptu d'Amanda Plummer et Tim Roth, tourné en couleurs chaudes et profondes par Andrzej Sekula, qui se termine par un arrêt sur image exaltant, sur lequel l'attaque réverbérée à la Stratocaster de Dick Dale lance *Misirlou*, marque sonore du film. Dès cette scène, Tarantino se sert du délire pour propulser son action et desserrer l'emprise de la forme, la repoussant vers le haut et vers l'extérieur, pour créer une belle bande de Mœbius, un personnage secondaire de chaque épopée devenant la star de la suivante. « Même les intrigues deviennent secondaires, a noté Anthony Lane. Quelque part, vous vous dites : au-dessus de cette vie de caniveau, l'événement principal est en train de se dérouler. C'est un truc bizarre, comme imaginer d'effacer le héros du *Roi Lear*, en ne gardant que les querelles entre les sœurs et un vieil homme attaché à une chaise. »

Bizarre, mais pas sans précédent. Le film ramasse dans un fourre-tout jubilatoire des ingrédients et des influences de musique surf, de film noir, de Godard, mais ses précurseurs sont sans doute à chercher du côté du théâtre de

EN HAUT : Butch s'enfuit sur une moto baptisée pertinemment Grace.

l'absurde : *Six Personnages en quête d'auteur* de Luigi Pirandello, *En Attendant Godot* de Samuel Beckett et surtout, *Rosencrantz et Guildenstern sont morts* de Tom Stoppard, où deux messagers venus apporter une lettre au roi d'Angleterre demandant qu'Hamlet soit exécuté, sont interceptés et tués eux-mêmes. Les deux personnages méditent tout au long de la pièce sur les subtilités ironiques de leurs destins de figurants, balayés à leur insu dans le drame de quelqu'un d'autre, appelés ici ou là par des indications scéniques au-delà de leur contrôle. « Pas d'énigme, pas de dignité, rien de classique ni de prodigieux, juste ça – un pornographe comique et une cohue de prostituées, dit Guildenstern. Nous faisons des choses sur scène qui sont censées se produire en dehors. Ce qui est une sorte d'intégrité, si vous pensez chaque sortie comme étant une entrée quelque part ailleurs. »

On est très proche de la théologie pop de Jules Winnfield (Samuel L. Jackson) qui, échappant à une grêle de balles, conclut qu'un miracle a eu lieu. « On devrait être morts, mon pote ! On a vécu un truc miraculeux et moi, je demande que tu le reconnaisses. » Le texte fonctionne à deux niveaux, car, bien sûr, le public vient d'assister à d'autres résurrections : Vincent, après avoir été abattu dans les toilettes par Butch, réapparaît grâce au miracle de la chronologie en boucle de Tarantino. Butch s'échappe sur une moto nommée Grâce. S'il y a un Dieu ici, qui ressemble à la divinité vengeresse d'Ézéchiel 25:17 («Ils sauront que je suis l'Éternel quand j'exercerai sur eux ma vengeance »), c'est bien Tarantino, descendant des hautes sphères pour apparaître parmi ses créatures, caquetant joyeusement pendant que le loup (M. Wolf, Harvey Keitel) nettoie au tuyau d'arrosage Jules et Vincent dans son jardin. Le fait que

Keitel joue ici un rôle très proche de son personnage de saint-dans-les-coulisses de *Reservoir Dogs*, le régulateur magicien qui fait que les choses arrivent, souligne seulement combien Tarantino a déjà évolué depuis ses débuts. Une réputation de violence suit le film dans les salles de cinéma, mais encore une fois, nous ne voyons pratiquement rien et ce que nous ne voyons procède davantage des spasmes de la vie réelle que du rythme d'un film d'action violent : quand Butch est percuté au volant de sa Honda, la voiture continue doucement sa route en cahotant jusqu'au trottoir, contre une banderole « Maintenant à louer ». Puis fondu au noir.

Il y a une demi-douzaine de fondus dans le film, la plupart après quelque chose d'important : Vincent et la danse de Mia, l'overdose de Mia, l'accident de la Honda de Butch, l'évanouissement de Marsellus après leur bagarre. On saute ainsi une petite période de temps : et maintenant… Dans chaque cas, l'effet est intrigant, mystérieux, félin et confirme que Tarantino n'agit pas tellement en tant que réalisateur d'actions, mais en tant que réalisateur de ré-actions. Sa direction a considérablement gagné en force depuis *Dogs,* avec des scènes très longues là où d'autres réalisateurs auraient coupé court et des plans brefs là où d'autres auraient allongé la scène. À côté de ces longues scènes, on trouve maintenant de très gros plans façon Godard sur les pieds de Mia Wallace ou la nuque de Marsellus, avec ce pansement auréolé de mystère, encore plus étrange que la célèbre valise luminescente. On dirait que toute la tendresse de Tarantino pour ses personnages circule à travers ces gros plans, le film devenant plus godardien encore autour d'Uma Thurman, l'œil brillant de malice, la frange noire d'Anna Karina dans *Vivre sa vie,* sa démarche de panthère envoûtant Tarantino comme celle d'Anna Karina arpentant le magasin de disques, la caméra de Godard glissant à côté d'elle. Et si c'était *pour cela* que Dieu avait inventé le travelling ?

Comme celui de Godard, le casting de Tarantino vise la profondeur. C'est manifeste dans la scène du Jack Rabbit Slim's. Voir la star de *Saturday Night Fever* danser le Twist en chaussettes usées comme un vieil oncle à Noël, c'est comme regarder Picasso dessiner la tête à Toto. Il y a aussi un moment merveilleux, quand Travolta et Willis se rencontrent dans le bar de Marsellus et se découvrent une aversion instantanée l'un pour l'autre, comme des chiens dans la rue. « Tu veux ma photo ? » demande Butch, « T'es pas mon genre, tocard » grogne Vincent. Il n'y a aucune raison à leur antagonisme, sauf un vent froid soufflant d'un avenir dans lequel l'un va tuer l'autre. C'est aussi le choc des icônes : les années 1970 répondent aux années 1980, l'univers semblant incapable de supporter une telle concentration d'icônes comme des atomes en collision, ou des *Ghostbusters* croisant

leurs rayons. Malgré tout le bien que la présence de Bruce Willis a fait au box-office du film, je ne suis pas sûr que son minimalisme bien macho convienne vraiment à l'hyper-verbal Tarantino, qui sait très bien écrire pour beaucoup d'hommes et de femmes, mais pas pour un dur silencieux. Son indéchiffrable petite moue en face du discours de Marsellus sur l'amour-propre ne semble pas à sa place dans ce film. Le personnage de Butch repose sur la démasculinisation, mais Bruce Willis se montre peu enclin à la déconstruction masculine. Quand, après avoir échappé à la sodomisation par Zed et Maynard, il retourne ensanglanté et boitant vers Fabienne (Maria de Medeiros) et qu'il doit passer à la douceur face à son inquiétude, c'est elle, et non Butch, qui est la cible de la blague : « T'as eu tes crêpes, tes crêpes aux myrtilles ? ». Il autoprotège sans doute trop son interprétation, par peur de risquer l'humiliation. Ça fait de lui un homme solitaire dans le monde de Tarantino.

Avec Samuel L. Jackson, c'est une autre affaire. Avec sa voix descendant les octaves, ses yeux exorbités, Jackson est le visage et la voix de la mise en forme furieuse des longues années de traversée du désert de Tarantino. Chacune de ses répliques est remplie de pétards d'indignation et de mépris blessé, comme sa réponse à « On est

EN HAUT : John Travolta et Bruce Willis détendus sur le plateau.

À GAUCHE : « Je règle les problèmes. » Winston Wolfe, joué par Harvey Keitel, vient porter assistance au duo bien maladroit.

PAGES PRÉCÉDENTES : Le coup de feu involontaire de Vincent a mis une sacrée pagaille.

EN HAUT ET À DROITE : Parfaitement cool. Le duo Vincent Vega – Jules Winnfield est devenu l'un des plus célèbres de l'histoire du cinéma.

à moitié pardonné une fois qu'on a reconnu ses fautes » de Vincent : « L'empaffé qui a dit ça, il a jamais eu à ramasser des petits bouts de cervelle à cause d'un débile dans ton genre. » Travolta et lui sont vraiment des miroirs. Si Jackson emballe le film, Travolta le ralentit et l'apaise avec son ton somnolent et son demi-sourire, comme un garçon avec un secret. Au cours du dîner avec Mia, il arrive à peine à la regarder dans les yeux, ses yeux bleus de bébé constamment baissés, par pudeur ou par embarras, c'est difficile à dire. Au final, le couple Vincent-Jules ressemble à une expression de la guerre au sein de sa propre nature, entre le Tarantino flemmard et l'accro à l'adrénaline, la patate de canapé et l'amateur de chair, déchiré entre traîner et fouetter. Dans *Pulp Fiction*, ils trouvent un équilibre impeccable, aussi léger qu'un colibri. Le film est tendu mais tranquille, décontracté mais en alerte, fermant la boucle après deux heures trois quarts délibérément serrées, par une impasse mexicaine comme *Reservoir Dogs*, mais cette fois, au lieu d'une annihilation mutuelle, on termine sur un acte de désarmement unilatéral qui leur permet de remettre leurs armes à feu dans leurs shorts ridicules et de partir tranquillement à pied.

« Vers la fin de *Pulp Fiction,* quand la courbe de l'histoire se penche en arrière sur elle-même pour se retrouver, il y a quelque chose de profondément, de musicalement agréable, une magie formelle très émouvante, a écrit David Thomson. Qui l'aurait imaginé ? Trois actes, une romance, des rédemptions, des citations de la Bible et une fin heureuse. Ce chien aimait se faire chatouiller le ventre. »

Produit pour 8,5 millions de dollars, le film en rapporte… 214 dans le monde entier, premier film indépendant à dépasser la barre des 200 millions. Il fait plus de 2 800 000 entrées en France. Il établit Miramax comme un mini-major, relance la carrière en difficulté de John Travolta et change le cours du cinéma indépendant. C'est « le premier film indépendant qui a brisé toutes les règles, dit Weinstein. Il a installé un nouveau cadran sur l'horloge du cinéma. » Nominé pour sept Oscars, dont meilleur film et meilleur réalisateur, il offre à Tarantino celui du meilleur scénario original, conjointement avec Roger Avary. « *Pulp Fiction* a cassé le moule de ce que j'attendais de ma carrière, dira Tarantino plus tard. Normalement, quand vous avez fait un film comme *Reservoir Dogs*, les studios disent : "Ce gars n'est pas mauvais. Peut-être que si nous lui donnons un sujet plus commercial, ça l'emmènera à l'étape suivante". Alors, je fais un petit truc, *Pulp Fiction*, sur mon petit chemin d'auteur et peut-être que ça fait 30 à 35 millions de dollars. "Bon, maintenant nous pouvons le faire entrer dans le système des studios pour de vrai. Donnons-lui *Dick Tracy* ou *The Man From U.N.C.L.E. (Des Agents très spéciaux)*", quelque chose comme ça. Eh bien, ce n'est pas arrivé comme ça. Je n'ai pas eu à me glisser dans des projets commerciaux pour y arriver. La portée de ma voix, alors que je suis resté moi-même, est devenue énorme, donc je n'ai jamais eu à le faire. Je progresse ou je chute uniquement avec mes compétences. »

« Je ne suis pas le genre de gars à mettre *Pulp Fiction* en perspective vingt ans plus tard. L'une des choses dont je suis le plus fier est d'avoir réalisé un film omnibus. Trois histoires séparées. Et j'ai voulu qu'elles fonctionnent ensemble pour raconter une histoire. Et je l'ai fait. »

ENTRACTE

GROOM SERVICE
1995
UNE NUIT EN ENFER
1996

« **J**e n'ai pas la célébrité d'un réalisateur, en Amérique, j'ai la célébrité d'une star de cinéma », dit Tarantino de sa vie d'après *Pulp Fiction*. Quand il entre dans un bar à Los Angeles, en peu de temps, il a une fille à chaque bras. Un flot continu de fans s'approche de sa table. Les gens klaxonnent quand ils le voient dans sa voiture et le suivent dans les rues avec des affiches et des photos à faire dédicacer. Au début, il aimait parler de ses films avec eux, mais plus le temps passe, plus se faire aborder dans son magasin de disques préféré dont il veut explorer tranquillement les rayons en vivant normalement commence à être difficile pour lui. Lorsque le restaurant Chasen's ferme ses portes en avril 1995, Tarantino y va avec son ami cinéaste Robert Rodriguez. « Les gens étaient déjà là avec des affiches de *Pulp Fiction*, et dès qu'il a ouvert la porte, l'ont assailli, raconte Rodriguez. Il m'a dit : "Tu sais, ce gars-là, je lui ai signé une affiche et il m'a regardé comme si j'étais une merde parce que je ne lui en ai pas signé dix." »

Un autre réalisateur ami, Alexandre Rockwell, lui demande de contribuer à un film à sketches, composé de quatre histoires différentes prenant place la même nuit, dans le même hôtel. Tarantino décide de tendre un miroir à sa nouvelle renommée. Il imagine l'histoire d'une célébrité désagréable nommée Chester Rush : une star de comédie mal embouchée qui prend une suite à l'hôtel, siffle du champagne Cristal (« Du putain de Cristal, tout le reste, c'est la pisse ») et offre 1 000 dollars pour qu'on coupe l'auriculaire de quelqu'un avec un couperet à viande, à l'occasion d'un pari. « Le personnage a commencé par être comique, parce que je pensais que je pouvais jouer ce genre de personnage vraiment bien, puis il a fini par être chargé d'une partie de mon propre bagage de – faute d'un meilleur mot – célébrité, dit Quentin. Je joue plus ou moins

moi-même, mais dans la pire lumière possible. »
L'idée est née après le séjour de Tarantino dans
l'appartement de Rockwell et de sa petite amie
Jennifer Beals, à Manhattan. « J'ai eu le sentiment
que nous étions une nouvelle vague », a déclaré
Rockwell, qui avait déjà rencontré Tarantino
avec Allison Anders, Richard Linklater et Robert
Rodriguez, à Sundance en 1992. « Je pensais que
ce serait cool de faire quelque chose ensemble. »

Minus Linklater tournait *Before Sunrise* à
Vienne, mais les quatre autres réservent des
chambres au Château Marmont sur Sunset
Boulevard, pour manger de la malbouffe,
boire et régler la continuité entre les histoires.
« Ça ressemblait à une soirée pyjama, a déclaré

Rockwell. C'était une nuit comme en rêvait
Quentin vous savez, on s'est tous réunis dans
une chambre avec des vidéos et du pop-
corn. Nous avons discuté du film et chacun a
raconté les grandes lignes de son histoire…
C'était incroyable, parce que, quand nous
avons rassemblé les scripts, toutes les histoires
correspondaient entre elles. »

Les règles étaient : toutes les histoires
devaient avoir lieu le même soir, la nuit de la
Saint-Sylvestre et utiliser le personnage du
groom, Ted, qui devait être joué par Steve
Buscemi jusqu'à ce que l'acteur fasse remarquer
qu'il avait déjà joué un groom dans *Barton Fink*
des frères Coen. « Avec cette hésitation et avec

À GAUCHE : L'affiche de *Four Rooms
(Groom Service)*, avec Tim Roth
dans le rôle de Ted, le groom.

EN HAUT : *Les quatre* réalisateurs
(de gauche à droite) : Alexandre
Rockwell, Allison Anders, Quentin
Tarantino et Robert Rodriguez.

il commence à sortir avec Mira Sorvino, qui a remporté un Oscar la même année que lui. Les discussions en famille avec l'actrice et son père Paul, acteur lui aussi *(Goodfellas - Les Affranchis)*, réveillent de «vieux rêves et désirs de petit garçon». Dans *Destiny Turns on the Radio*, Tarantino joue Johnny Destiny, une pseudo-divinité un peu frimeuse qui apparaît périodiquement pour rappeler aux personnages qu'ils vivent dans une ville aux "possibilités illimitées". Comme dans beaucoup de ses performances, il interprète moins un personnage qu'il n'intervient comme maître de cérémonie, en Quentin Tarantino, saint patron du cinéma indépendant, figure de proue grâce à laquelle les cinéastes peuvent déclarer leur allégeance au cinéma "de qualité". L'un de ses nouveaux amis de cette période, Steven Spielberg, lui dit: «Tu es quelqu'un qui raconte le cinéma.»

Il fait une apparition dans *Somebody to Love* d'Alexandre Rockwell en barman, puis il devait jouer le rôle principal, un bootlegger amoureux d'une femme du milieu sadomasochiste, dans *Hands Up* de Virginie Thévenet, mais le film ne voit jamais le jour et on le retrouve dans *Desperado* de Robert Rodriguez, où il raconte une longue histoire drôle d'un mec qui pisse dans un bar, mais son apparition souffre encore du côté *deux ex machina*, comme s'il flottait au-dessus de l'action au lieu de s'y soumettre. Il est piétiné par les critiques, à qui il en voudra pour les années à venir, «parce que chaque critique – et je pense vraiment que je suis drôle dans ce film, je pense que je déchire dans cette scène – chaque critique ne dit pas que je suis mauvais, mais dit: "On en a marre de ce type. On ne veut tout simplement plus voir sa gueule."» En fait, ils ne blâment pas sa performance parce qu'il n'y en a pas.

C'est tout autre chose avec *From Dusk Till Dawn (Une Nuit en enfer)*, le film de vampires bien sanglant que Robert Rodriguez dirige à partir du script de Tarantino. Il l'a écrit à l'origine, contre 1 500 dollars, pour l'expert en effets spéciaux Robert Kurtzman, afin de mettre en valeur les talents de sa société KNB, qui lui a fourni gratuitement les effets pour l'oreille coupée de *Reservoir Dogs*. «C'est complètement une image de drive-in», a déclaré Tarantino, heureux

EN HAUT : Avec l'actrice Mira Sorvino.

EN HAUT À DROITE : Passant de l'autre côté de la caméra, Tarantino interprète Johnny Destiny dans *Destiny Turns on the Radio*, 1995.

de laisser son script entre les mains de Rodriguez pour jouer l'un des deux frères braqueurs en fuite, « une vraie paire d'enfoirés », aux côtés de George Clooney. Ils sont très liés, échangeant des lettres de fans dans leurs loges. « Il m'a toujours encouragé, dit Tarantino, me disant : "Emmerde ces connards pour *Destiny Turns on the Radio* ! Tu es le meilleur, dans ce film, mec ! Tu as mon respect et tu as celui des autres gars, et tu vas être grand dans ce film !" »

Clooney montre sans doute ici une certaine part d'habileté, pour renforcer la forte complicité qu'ils doivent montrer à l'écran. En Richard Gecko, le frère cadet, un geek pâle très impulsif qui ne cesse d'être une menace pour leurs plans, « Tarantino n'est pas mal, et produit quelques rires avec son portrait impassible de la démence et de la lascivité », selon *Variety*. « Tarantino est sournois, dans un mode humblement contenu », pour le *New York Times*. « Les critiques disent essentiellement : "Même Quentin est assez bon !" dit Tarantino. J'ai vraiment travaillé dur, et je suis fier de ce que j'ai fait. » Le film marche bien, engrangeant 10 millions de dollars le premier

EN HAUT : Le pasteur Jacob Fuller (Harvey Keitel), entouré de ses enfants Kate (Juliette Lewis) et Scott (Ernest Liu) et de Seth Gecko (George Clooney), fait face aux vampires de *Une Nuit en enfer*.

L'auteur Tarantino (en bas à droite) et le réalisateur Robert Rodriquez (en haut à droite) avec les acteurs et l'équipe de *Une Nuit en enfer*.

« J'ai eu beaucoup de plaisir avec ces personnages. C'est un peu comme deux films mis bout à bout. La bascule de l'un à l'autre est brutale. Et on ne prévient pas le public. »

« Je ne suis plus un étranger à Hollywood. Je connais beaucoup de monde ici. Je les aime bien. Ils m'aiment bien. Je pense que je suis un excellent membre de cette communauté. »

PAGES PRÉCÉDENTES : Le pasteur Jacob Fuller (Harvey Keitel), entouré de ses enfants Kate (Juliette Lewis) et Scott (Ernest Liu) et de Seth Gecko (George Clooney), fait face aux vampires de *Une Nuit en enfer.*

EN HAUT : « Même Quentin était bon. » Tarantino a réussi comme acteur dans son rôle de Richard Gecko.

À DROITE : Portrait par Michael Birt, 1998.

week-end aux États-Unis, sur les 26 millions de recettes totales, avec pourtant une opposition solide : *12 Monkeys* (*L'Armée des douze singes*) de Terry Gilliam et *Nixon* d'Oliver Stone. Le script est construit sur une double articulation : les frères Gecko prennent en otage la famille d'un prédicateur pour passer au Mexique, puis truands et otages se retrouvent unis contre une invasion de vampires.

Il fait écho à la partie centrale de *Pulp Fiction,* où le protagoniste A se bat contre le méchant B mais finit par se coaliser avec lui contre C, un dur à cuire plus méchant encore. « C'est Harvey Keitel qui ancre *Une Nuit en enfer,* écrit Owen Gleiberman dans *Entertainment Weekly.* Avec sa barbe grisonnante et son accent traînant du Sud, il donne à Jacob une autorité morale tranquille. Quand il discute avec son fils Scott sur ce qu'ils devraient faire à la frontière mexicaine (le père a plus d'expérience, le fils a vu plus de séries policières), on est dans le genre de moment saturé de culture populaire auquel Tarantino donne vie comme personne. »

En fin de compte, ce sont les Weinstein qui le font revenir sur la chaise du réalisateur, avec une adaptation de l'un de ses romanciers préférés, Elmore Leonard. Tarantino a lu *Rum Punch* (*Punch créole*), publié en 1992, alors qu'il terminait *Pulp Fiction* : « Je l'ai lu et je l'ai vu. C'est comme si j'avais vu le film. » Lawrence Bender approche alors les éditeurs de Leonard, qui lui répondent : « D'accord, c'est possible, mais nous voulons savoir ce que vous allez faire après *Pulp Fiction.* » Du coup, il laisse tomber, ne voulant pas être lié par cet accord. Après le succès de *Pulp Fiction,* trois nouveaux romans d'Elmore Leonard deviennent disponibles, en plus de *Rum Punch* (*Punch créole*), *Killshot, Bandits !* et *Freaky Deaky* (*Les Fantômes de Detroit*). Les Weinstein achètent les droits des quatre livres, pour que Tarantino les produise, avec quelqu'un d'autre à la réalisation. « Je viens de relire [*Punch créole*] pour me familiariser avec l'histoire, dit Tarantino. Et voilà, j'ai vu le même film que la première fois que je l'ai lu. Tout est revenu. Je me suis dit alors que je voulais vraiment le faire. »

JACKIE BROWN

1997

« J'avais envie depuis
longtemps d'adapter
Elmore Leonard.
C'est le premier auteur
qui m'a vraiment parlé,
quand je l'ai lu, adolescent. »

«*J*ackie Brown* n'était pas ce que je voyais après *Pulp*. Je ne voulais pas faire plus grand que *Pulp,* dit Tarantino. Je voulais travailler sur une plus petite échelle. » Il passe les trois ans depuis sa conquête de Cannes en 1994 à assister à des festivals, à jouer dans les films de ses amis et à essayer de son mieux de répondre à la presse et à ses fans qui le pressent de dire quand il va s'attaquer à un nouveau film. Même quand la nouvelle se répand qu'il est en train d'adapter *Rum Punch (Punch créole)* d'Elmore Leonard, la pression de la presse ne se réduit pas : pourquoi prend-il autant de temps ? « Je ne voulais pas faire ce que la plupart des adaptations de cinéma font, d'accord ? a-t-il dit une fois le film terminé. Je voulais que ce soit quelque chose qui existe en soi, je voulais garder l'intégrité du roman. Et cela prend du temps. Pour ne pas simplement résumer l'intrigue, mais pour garder réellement son esprit, sa saveur, garder ce qui appartient à l'auteur et ajouter un peu de moi. Pendant ce temps, il y avait tous ces articles : "Que fait Quentin ? Quand Quentin va-t-il faire autre chose ?" Eh bien, Quentin écrit, d'accord ? Quentin est en train de faire ce que Quentin fait, d'accord ? »

En fait, Quentin fait quelque chose qui est pour lui inhabituel, qu'il n'a jamais fait : écrire un scénario adapté d'un roman. Paru en 1978, *The Switch (La Joyeuse Kidnappée)* est le roman de Leonard qui introduit les personnages d'Ordell, de Louis et de Mélanie, qu'on retrouve dans *Punch créole*. C'est justement en tentant d'emprunter *ce* livre au Kmart local que Tarantino a été arrêté pour vol à l'étalage, l'année où il a décidé de suivre des cours d'art dramatique.

C'est l'écriture de Léonard, dit-il, qui lui « a ouvert les yeux sur les possibilités dramatiques de la manière de parler de tous les jours. Au fur et à mesure que je lisais ses romans, je me sentais autorisé à aller de l'avant avec des personnages parlant des choses plutôt que de parler d'eux-mêmes. Il m'a montré que les personnages peuvent prendre des tangentes et que ces tangentes sont tout aussi intéressantes que le reste, comme la façon dont les gens réels parlent. Je pense que c'est sur *True Romance* qu'il m'a le plus influencé. En fait, pour *True Romance*, j'ai écrit ma version d'un roman d'Elmore Leonard sous forme de script. » Pour *Jackie Brown*, l'objectif est simple : « Qu'on me laisse faire un film plus mature, qu'on me laisse faire un film davantage basé sur les personnages, explique-t-il à Robert Rodriguez. Qu'on me laisse faire le film que les gens attendraient de moi si j'avais quarante-cinq ans. »

Son premier point d'entrée dans *Punch créole* est le personnage d'Ordell, trafiquant d'armes dandy joué par Samuel L. Jackson. L'année qu'il a passée à écrire, Tarantino a pénétré loin dans sa personnalité. « Toute l'année, j'étais Ordell, dit-il. C'est avec lui que je me suis le plus identifié dans l'histoire. J'étais Ordell quand j'écrivais le script. Je me suis promené comme lui. Je parlais comme lui. J'ai passé une année entière à être Ordell. Je ne pouvais pas le mettre de côté et de toute façon, je ne le voulais pas. D'une manière bizarre, Ordell est le rythme du film. Comme son tempérament, la façon dont il parle, la façon dont il s'habille, tout ce qui le concerne constitue la manière dont ce film devrait fonctionner. Il est la musique soul traditionnelle. Il en est la personnification et je m'y identifie complètement. Si je n'étais pas un artiste, je serais probablement exactement comme cet enfoiré d'Ordell. »

C'est le film qui a la parenté la plus étroite avec l'adolescence de Tarantino. En condensant les 350 pages du livre à l'intrigue d'un film de deux heures quarante, il déplace l'action de Miami à South Bay, Los Angeles, où il a grandi, créant une correspondance avec l'enracinement de Leonard à Miami, plutôt que de l'imiter. Il déplace surtout l'attention dramatique sur l'hôtesse de l'air de quarante-quatre ans, une Blanche nommée Jackie

Burke dans le roman, qui lutte pour garder son emploi et que les Fédéraux utilisent comme un pion pour abattre Ordell. C'est son premier film avec un premier rôle féminin. Listant les actrices qui pourraient jouer Jackie, Tarantino se retrouve avec une poignée de noms. Elle a quarante-quatre ans, mais elle paraît en avoir trente-quatre, elle doit être séduisante, mais aussi montrer qu'elle peut gérer n'importe quelle situation.

« Alors Pam a jailli dans ma tête, dit-il. Et tout est devenu très facile. Choisir une femme noire, dans la quarantaine comme le personnage, lui donne une profondeur. Pam apporte un poids à tout ça. Elle connaît la vie et elle est magnifique. Elle a l'air d'avoir trente-cinq ans et dégage une force à pouvoir tout supporter. Et elle peut garder son calme quand la situation devient chaude. D'accord ? Eh bien, Pam a tout ça. C'est Pam Grier. »

Il a vu *Coffy* (*Coffy, la panthère noire de Harlem*) quand il avait treize ans, grandi en regardant la reine de la blaxploitation dans *Women in Cages* (*Femmes en cage*), *Fort Apache The Bronx* (*Le Policeman*) et *Foxy Brown*, et « comme tous les autres garçons de mon âge, elle me faisait beaucoup d'effet », dit-il. Elle a même auditionné pour le rôle de Jody dans *Pulp Fiction*, qu'a joué Rosanna Arquette. Mais, par une de ces coïncidences sauvages qui se produisent seulement dans la vie réelle ou dans les films de Quentin Tarantino, le réalisateur marche sur Highland Avenue quand il voit Pam Grier dans une voiture, arrêtée dans un embouteillage. En courant, il l'interpelle : « Pam Grier !

— M. Tarantino, quel plaisir !

— Je suis en train d'écrire un film pour vous, lui dit-il avec enthousiasme, adapté de *Punch créole*, le livre d'Elmore Leonard !

— Ça a l'air génial.

— C'est ma version de *Foxy Brown*.

Mais le trafic repart, et Tarantino est contraint de revenir sur le trottoir, la saluant de la main.

« Tu peux croire ça ? lui demanda son petit ami.

— Oh non, répondit-elle. Il ne faut jamais croire un mot de ce que te dit un réalisateur de Hollywood. »

Elle pense que ce sont juste des paroles sans importance jusqu'à ce qu'un peu plus tard, elle

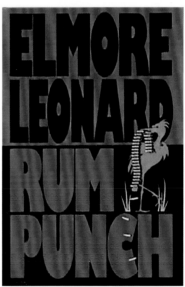

À GAUCHE : Pam Grier est Jackie.

EN HAUT :

Tarantino a grandi en regardant les films de Pam Grier, la "reine de la blaxploitation", dans des films comme *Foxy Brown*, et a adapté le rôle pour elle.

La première adaptation de Tarantino est l'un de ses romans préférés, *Rum Punch* (*Punch créole*) de Elmore Leonard.

> **« Je ne voulais pas que les gens prennent ce que j'avais à offrir pour acquis. J'ai vu que ça pourrait très facilement être le cas. Une adaptation vous redonne une perspective différente. »**

reçoive plusieurs avis de son bureau de poste, lui demandant de passer retirer un paquet dont l'affranchissement est insuffisant. « J'ai continué à recevoir ces avis de la poste qui me disaient que j'avais une enveloppe en provenance de Los Angeles à laquelle il manquait 44 cents, se rappelle-t-elle. J'ai pensé à une publicité de matelas ou quelque chose du genre. Après le troisième avis, j'ai répondu : "Okay, je vais payer les 44 cents" et ils m'ont apporté cette enveloppe, avec "QT" écrit sur le coin en haut à gauche. C'était drôle parce que l'enveloppe avait plein de timbres (mais pas assez encore…), il avait vraiment léché tous ces petits timbres et les avait collés sur l'enveloppe lui-même.

En lisant le scénario, Pam pense que Tarantino veut lui donner le rôle de la petite amie droguée d'Ordell, Melanie, le rôle noir « typique » : la copine du marchand d'armes. Elle l'appelle à son bureau.

« Jésus, Pam, je vous ai envoyé le script il y a plusieurs semaines, dit Tarantino. Je pensais que vous n'en vouliez pas.

– Je l'ai reçu aujourd'hui. Ils l'ont gardé parce que vous n'avez pas mis assez de timbres.

– Oh ! Eh bien, de toute façon… Comment vous l'avez trouvé ?

– C'est super. J'aimerais bien passer une audition. Je pense que je pourrais faire un super travail dans le rôle de Melanie. Tarantino se met à rire.

– Bridget Fonda joue Melanie, lui dit-il. Vous êtes Jackie Brown, Pam. Je vous ai dit que j'écrivais un script pour vous. J'aimais *Foxy Brown* et j'ai écrit ça en votre honneur. »

Elle rencontre le réalisateur dans son bureau, qu'elle découvre constellé d'affiches de ses films :

Coffy, *The Big Bird Cage*, *Foxy Brown* et *Sheba, Baby*. « Avez-vous mis toutes ces affiches là parce que vous saviez que je venais ? demanda-t-elle.

– Non, j'ai failli les enlever quand j'ai su que vous arriviez, répondit-il. »

Plus le temps passait, plus c'était difficile pour lui d'appeler Leonard pour lui expliquer les changements apportés à son roman. « Rien, aucun studio, rien, ne m'a jamais davantage fait peur que quand j'ai décidé de changer l'héroïne de *Punch créole* en femme noire, dit-il. J'avais peur de lui parler. Le téléphone pesait des tonnes. Et il pesait 100 kg de plus chaque fois que je le regardais. Et puis je commençais à penser : "Je ne peux pas faire comme ça, je dois suivre mon chemin". Mais ça n'était pas plus facile pour autant de l'appeler. » Juste avant le début du tournage, il trouve finalement le courage d'appeler l'écrivain. « Ça fait un an que j'ai peur de vous appeler, lui dit-il.

– Pourquoi ? Parce que vous avez changé le titre de mon livre ? Et choisi une femme noire comme vedette ? dit Leonard.

– Ouais, dit Tarantino.

– Vous êtes un cinéaste, répondit Léonard. Vous pouvez faire ce que vous voulez. Je pense que Pam Grier est une fantastique idée. Allez-y. »

Pour jouer Max Cherry, le prêteur de cautions qui l'aide, l'encourage, et tombe amoureux d'elle, Tarantino hésite entre quatre acteurs : Paul Newman, Gene Hackman, John Saxon et Robert Forster, ce dernier connu surtout comme le cameraman de télévision du film d'Haskell Wexler, *Medium Cool* (1969). Auditionnant pour le rôle de Joe Cabot dans *Reservoir Dogs*, il était

À GAUCHE: Sur le tournage au centre commercial Del Amo. Dans ses interviews, Pam Grier ne tarit pas d'éloges sur Tarantino : « Quand vous travaillez avec Quentin, c'est une libération. C'est un chef d'orchestre et l'équipe est son orchestre. »

« Je n'avais pas envie de faire plus grand que *Pulp Fiction*, pour *Jackie Brown*.
Je voulais travailler sur une plus petite échelle, faire un film plus modeste, qui s'attache aux personnages. »

veut une Jackie calme et organisée
dans les scènes du début, où elle
se prépare et part à son travail,
avant que le chaos ne commence.

EN HAUT : Avec Robert Forster
(Max Cherry), nominé pour un Oscar.

arrivé juste derrière Lawrence Tierney. Tarantino
est encore à mi-chemin de son adaptation quand
il tombe sur l'acteur au coffee-shop, lui dit de lire
le livre, puis disparaît pour revenir six mois plus
tard pour le surprendre à la même table. « Je sors
sur la terrasse et je le trouve assis sur ma chaise,
raconte Forster. Quand je me suis approché de la
table, il m'a tendu un script et m'a dit : "Lisez ceci
et voyez si ça vous plaît." Donc, vous voyez, d'un
seul coup, sans les demandes, auditions, espoirs
et supplications qu'il faut d'habitude pour obtenir
un boulot, ce gars m'a proposé le meilleur rôle de
ma carrière. Il est difficile de ne pas penser qu'il y
a parfois des miracles. »

Alors que Tarantino prépare toujours le film,
il visite la maison de Forster et découvre que
son père a été un dresseur d'éléphants pour
le cirque des Ringling Brothers. Il lui demande
alors quelques photos de famille et des outils
de dressage d'éléphants et les place dans une
vitrine du bureau de Max Cherry. Il les voit dès
lors comme les photos et outils du père de Max

Cherry. « Le visage de Robert Forster est une toile
de fond, dit Tarantino. C'est vrai pour lui comme
pour Pam Grier. Quand vous êtes un acteur dans
le business depuis aussi longtemps qu'eux, vous
avez tout vu et, putain, tout fait, d'accord ? Ils ont
eu le cœur brisé, connu le succès et l'échec, eu
de l'argent et pas d'argent, et c'est là, sur eux.
Ils n'ont rien à faire. »

Travaillant pour la première fois avec le
directeur de la photographie Guillermo Navarro,
qui a filmé *Desperado* et *Une Nuit en enfer*,
Tarantino lui projette, comme préparation, *Hickey
and Boggs (Requiem pour des gangsters)* de
Robert Culp et *They All Laughed (Et Tout le
Monde riait)* de Peter Bogdanovich, « un chef-
d'œuvre, je trouve, dit le réalisateur. Il capture un
New York de conte de fées. Il fait ressembler New
York à Paris dans les années 1920. Il vous donne
envie de vivre là-bas. Et nous l'avons d'une
certaine manière utilisé. Et puis nous avons
regardé *Straight Time (Le Récidiviste)*, l'un
des meilleurs films noirs tournés à Los Angeles.

« J'ai grandi au milieu de la culture noire. Je suis allé dans une école noire. C'est une culture avec laquelle je m'identifie. Je pourrais m'identifier avec d'autres cultures, nous avons tous plein de gens en nous. L'un de ceux qui sont en moi est noir. Mais la couleur de la peau ne veut rien dire. C'est un état d'esprit. Ça m'a beaucoup influencé dans mon travail. »

Mais je voulais que *Jackie Brown* soit plus cinématographique. *Le Récidiviste* est trop réaliste. »

De plus en plus fâché avec la presse, il insiste pour interdire son plateau, pour la première fois, aux caméras de télévision et aux journalistes, refermant la boîte de bavardage médiatique qui avait accompagné *Reservoir Dogs* sur sa tournée mondiale. La vie du groupe, maintenue privée, bénéficie du coup de certains événements inhabituels. « Un jour, il a décrété que nous aurions une "journée de la jupe", écrit Pam Grier dans son autobiographie, *Foxy*. Un matin, tous les hommes de sa bande (les "suspects habituels" avec lesquels il travaille toujours) sont arrivés en kilt ou en jupe et on en a ri toute la journée. » Ils tournent à partir du 25 mai et travaillent si bien qu'à un moment donné, le programme de la journée rempli en avance, Tarantino demande à Pam et à Samuel de jouer une scène supplémentaire. Jackson refuse, disant qu'il n'était pas prêt et ne veut pas la jouer à froid.

« Comme si nous étions ses enfants adolescents, Quentin se mit à nous monter l'un contre l'autre, se rappelle Pam Grier. En maître manipulateur, il dit à Sam :

"Je viens de parler à Pam. Elle est prête. Pourquoi pas toi ?

– Je ne veux pas le faire, dit-il simplement.

– Pam t'attend, l'exhorta-t-il en piquant subtilement son ego. Elle est prête, répéta-t-il.

Sa méthode fonctionna parfaitement, Sam mordit à l'appât.

– Sans doute que je peux le faire, alors, dit-il.

Quentin revint alors me voir et me dit avec une lueur dans les yeux :

– Il va le faire, maintenant qu'il a appris que tu le ferais.

– Est-ce qu'il va me mettre ça sur le dos ? ai-je demandé. Qu'est-ce que tu lui as dit ? Est-ce que tu cherches à m'attirer des ennuis, là ?

– Il n'est pas comme ça, me rassura-t-il. »

Une autre fois, dans la scène de la cuisine avec Max Cherry, où Jackie est contrariée, effrayée,

EN HAUT : Pam Grier et Samuel L. Jackson, l'alchimie dynamique de Jackie et Ordell.

EN HAUT : « Un effort de maturité cinématographique. » De derrière la caméra, Tarantino prépare son équipe pour une scène.

À DROITE : Photo de promotion du film avec Michael Keaton, Bridget Fonda, Robert De Niro, Samuel L. Jackson et Pam Grier.

mais essaie de le cacher, Pam commença à pleurer spontanément. Elle se rendit compte qu'elle tenait la bonne prise quand l'équipe l'applaudit.

« C'était ça, lui dit-elle, tu l'as trouvée bien ?

– Il t'en reste une en toi ? demanda Tarantino.

– Ouais, dit Pam, éberluée. Je peux en faire une autre. Mais pourquoi ?

– Je voudrais que tu essaies sans les larmes, dit-il, j'ai besoin que tu paraisses plus forte. »

Lorsque le tournage est terminé, Tarantino donne une interview, une seule, à Lynn Hirschberg du *New York Times,* dans sa nouvelle maison des collines de Hollywood, lui disant : « C'est un film calme, mais mon idée du calme n'est peut-être pas celle de quelqu'un d'autre », et il se plaint d'être malmené par la presse : « La principale chose qu'on m'a reprochée, c'est que je n'ai pas fait un autre film tout de suite. Je ne serai jamais un réalisateur qui fait un film par an. Je ne vois pas comment on peut diriger un film par an et vivre sa vie. J'ai fait des talk-shows et des articles de magazine et tout ça, et on a commencé à

écrire que "Quentin Tarantino est le maître de l'autopromotion". Ça c'est grand : le maître de l'autopromotion. Alors que je n'ai fait que ce que fait un acteur. Je n'ai pas fait une interview de plus qu'un acteur. J'ai juste fait les tournées de publicité. Si vous pouviez m'enlever un tiers de ma célébrité, je me sentirais très bien. »

Il passe les premières semaines de la sortie dans les cinémas, regarde le film treize fois au Magic Johnson pour voir comment ça se passe. « Les quatre premières semaines, j'étais là, j'y ai vécu, dit-il. C'est un film qui nous lie aux personnages, où on se balade avec eux. *Jackie Brown* est plus agréable à voir la deuxième fois. Et je pense que c'est encore mieux la troisième. Et la quatrième fois… Peut-être même que la première fois, nous nous disons : "Pourquoi est-ce qu'on se promène comme ça ? Pourquoi l'action ne va pas plus vite ?" Mais maintenant, la deuxième fois que vous le regardez, et la troisième fois encore plus, vous ne pensez plus à l'intrigue. Vous vous attachez aux personnages. Vous partez avec eux. »

Elmore Leonard et Quentin Tarantino ont beaucoup de choses en commun, un goût pour les voyous un peu crades, un grand sens des dialogues, une vision de l'absurde du théâtre humain. Voici, par exemple, Ordell et Louis dans le roman *The Switch* (*Joyeuse Kidnappée*) dont les personnages sont repris dans *Punch créole* :

« T'as vu la bagnole ? dit Ordell à Louis. Il a une AMC Hornet, mec, noire, aucune déco à l'extérieur, la voiture ordinaire. Mais à l'intérieur ! Dis-lui, Richard.

– Eh ben, j'ai un arceau. J'ai des amortisseurs Gabriel Striders costauds. J'ai un fusil à pompe.

– Il a un de ces gyrophares ! dit Ordell. T'imagines Kojak qui tend la main et le pose sur le toit ?

– C'est un Super Fireball à fixation magnétique. Et puis, j'ai une sirène Federal PA 170, tu peux la faire gémir, hurler, avec plusieurs tons. Dans le coffre, je garde un lanceur de grenades lacrymogènes Schermuly et d'autres trucs : matraque téléscopique, masque à gaz M-17… Il réfléchit un moment.

– J'ai aussi un étui de jambe Legster. Vous en avez déjà vu un ? »

Et voici Ordell et Louis dans *Jackie Brown* :

LOUIS
Avec qui tu bosses ?
ORDELL
Un mec qui s'appelle M. Walker. Il a un chalutier au Mexique. Je lui livre la marchandise et il la livre à mes clients. Pour les ventes en gros, en tout cas. Avant que lui file sa situation, il n'avait ni pot pour pisser ni fenêtre pour le vider, mais aujourd'hui, il roule dans la thune, l'enfoiré. Il s'est offert un yacht avec des systèmes de navigation hyperpointus à bord.
Retour à la vidéo : une jolie jeune femme en bikini montre un AK-47 et dit :
Rien ne saurait nous séparer, moi et mon AK !
ORDELL
Oh oh oh, on y est, AK-47, le must absolu. Quand y'a absolument besoin d'un grand coup de torchon, quand vraiment il faut que ça dégomme, surtout se méfier des imitations ! Il est fabriqué en Chine, ce modèle. Je les touche à 850 et je double la mise.

LOUIS
Who's your partner ?
ORDELL
Mr. Walker. He runs a fishing boat in Mexico. I deliver the merchandise to him, gets it to my customers. On all my bulk sales, anyway. Nigga didn't have a pot to piss in or a window to throw it out 'fore I set 'em up. Now, motherfucker's rollin' in cash. He got himself a yacht, with all kinds of high tech navigational shit on it.
Back to video. Gloria, a tall, Amazonian, bikini-clad, black woman faces camera and describes the AK-47.
AK-47, the very best there is.
ORDELL
When you absolutely, positively, gotta kill every motherfucker in the room, accept no substitute. That there is the Chinese one. I pay eight-fifty and double my money.

Les deux écrivains clairement aiment les équipements et regardent beaucoup la télévision. L'Ordell de Tarantino utilise davantage le mot "enfoiré". La principale différence, cependant, est la valeur morale qu'ils placent dans le discours de leurs personnages. Dans les romans de Leonard, les beaux parleurs sont invariablement des imbéciles, des frimeurs qui ne savent pas tenir leur bouche fermée, noyés dans leur propre langage, son admiration réelle étant réservée aux laconiques qui abattent leurs cartes seulement quand c'est nécessaire. Tarantino est son exact opposé, une grande gueule hyperactive dont les scripts vrombissent de rodomontades excitantes, pour qui les dialogues sont l'action, et c'est pourquoi Samuel L. Jackson se balade si bien dans *Jackie Brown*.

Un gangster loquace, dandy en vêtements de plage blancs, une longue queue-de-cheval et une fine barbichette tressée à la chinoise… Ordell est une créature bien plus méchante que Jules Winnfield dans *Pulp Fiction*, mais il distille des dialogues parmi les plus drôles que Tarantino ait écrits, en particulier son échange avec Beaumont, quand il le fait monter dans le coffre de sa voiture

BEAUMONT

I'm still scared as a motherfucker, O. D. They talking like they serious as hell giving me time for that machine gun shit.

ORDELL

Aw, come on, man, they just trying to put a fright in your ass.

BEAUMONT

Well, if that's what they doin', they done did it.

ORDELL

How old is that machine gun shit?

BEAUMONT

About three years…

ORDELL

Three years? That's a old crime, man! They ain't got enough room for all the niggas running around killing people today, now how are they gonna find room for you?

BEAUMONT

Hé Ordell, je fouette, mec, je fouette quand même que ces fils de putes me coincent. Ils avaient pas l'air de déconner quand ils ont dit que je plongerai pour les mitrailleuses, tu sais.

ORDELL

Ho, flippe pas pour ça, c'est des fils de putes, ils jouent avec tes nerfs.

BEAUMONT

Si c'est ça qu'ils voulaient faire, ils ont réussi.

ORDELL

Et ton histoire de mitrailleuse, ça date de quand?

BEAUMONT

Pfff, ça remonte à trois ans.

ORDELL

Trois ans? Déconne pas, mec, c'est un vieux crime, ça! Ils ont déjà pas de place pour foutre tous ceux qui tuent en ce moment, t'inquiète, ils ont sûrement pas de place pour toi.

Samuel L. Jackson sait balancer les dialogues de Tarantino comme personne, mais il sait aussi rendre les silences d'Ordell menaçants, assis dans le noir, attendant Jackie comme un serpent à sonnette. Il est dommage qu'ils n'aient pas davantage de scènes ensemble, parce qu'ils font jaillir des étincelles comme des silex. Tarantino fait son De Palma dans l'action, montrant l'échange de l'argent de trois façons et divisant l'écran en deux pour expliquer comment Jackie pose ses mains sur un pistolet, bien que curieusement, Pam Grier semble être un maximum sur-dirigée dans les scènes où elle revient à l'insolence de la blaxploitation – le nœud de l'affaire pour Tarantino, dont on peut presque encore entendre les directives flottant dans l'air après que les caméras ont arrêté de tourner – et bien meilleure dans les premières scènes, où elle exprime la fatigue et la douleur d'une Jackie de quarante-

À GAUCHE : Pistolet à la main et béret sur la tête, Samuel L. Jackson dans une photo de promotion typique Tarantino.

EN HAUT :
« C'est un film dans lequel on doit être pris par les personnages. » Melanie, Ordell et Louis passent l'essentiel de leur temps vautrés devant la télévision.

Ordell et Beaumont (Chris Tucker) : « Ho, flippe pas pour ça, ils jouent avec tes nerfs. »

À DROITE : « Si je n'étais pas un artiste, je serais probablement exactement comme cet enfoiré d'Ordell. »

quatre ans. Elle s'assoit avec Max Cherry, et la première chose dont ils discutent, c'est de la manière d'arrêter de fumer sans prendre de poids. La fois suivante, il lui parle de ses implants capillaires. Esquivant le choc et l'audace de *Pulp Fiction* tout en courant pratiquement aussi longtemps, *Jackie Brown* construit un groove moelleux, plein de soul, original dans le travail de Tarantino, rempli de nostalgie à l'évocation de l'âge et du passage du temps inscrit sur les visages de ses acteurs principaux.

« C'est peut-être son aspect raisonnable et sage, un mot très peu tarantinesque, qui est le plus remarquable dans *Jackie Brown*, alors qu'il épouse la vision d'un cinéaste blanc mâle de 34 ans du pétrin dans lequel se débat Jackie, a écrit le critique Nick Davis. Les couleurs et les musiques sont typiques de Tarantino, mais les cadrages sont contemplatifs et souvent très simples, même au milieu d'épisodes clés des entrelacs de l'intrigue. »

Beaucoup de critiques blâment son rythme tranquille à faible niveau d'énergie. « Dans pratiquement chaque scène de *Jackie Brown*, vous savez que vous regardez un film du créateur de *Pulp Fiction* et *Reservoir Dogs*, mais le pétillement – le côté euphorique – s'est envolé, écrit Owen Gleiberman dans *Entertainment Weekly*. Dans les films antérieurs de Tarantino, le matériau, réfracté à travers un prisme de sources de culture pop, fusionnait chimiquement dans le cerveau du cinéaste. Peu importe ce qu'il mettait à l'écran, que ce soit John Travolta dansant ou Michael Madsen coupant l'oreille d'un flic, il était si fasciné par le pouvoir de savant fou de sa propre imagination que nous partagions son regard aux yeux grands ouverts. Dans *Jackie Brown*, Tarantino est toujours fasciné, mais d'une manière plus détachée, plus consciente de soi. » Mais beaucoup apprécient son groove plein d'âme. « On savoure ce film davantage (et plus patiemment) comme un ensemble de croquis décontractés qui ne mènent pas toujours quelque part, même si un cinéaste du talent de M. Tarantino peut rendre bavard un tel résultat,

EN HAUT :

Les armes, les filles et l'argent sont les préoccupations existentielles d'Ordell.

L'équipe et les acteurs, avec Tarantino, Jackson et Lawrence Bender, préparent les scènes du meurtre de Beaumont.

« J'étais Ordell.
C'est avec lui que
je me suis le plus
identifié dans
cette histoire.
Je n'arrivais pas
à le mettre de côté
et de toute façon,
je ne le voulais pas.
D'une manière
bizarre, Ordell est
le rythme du film.
C'est autour de lui
que se construit
la manière dont
ce film fonctionne. »

écrit A. O. Scott dans le *New York Times*. Il n'y a pratiquement pas une scène de *Jackie Brown* qui ne cache pas, quelque part dans le bavardage banal, une solide petite note de grâce. »

C'est le film le plus calme de Quentin Tarantino, et de loin, avec ces notes de grâce, sur fond de dialogue dépouillé, voire totalement silencieuses. Pensez à Ordell assis dans sa camionnette, la caméra fixée sur ses sourcils froncés pendant qu'il pense, pense, pense, puis lève les yeux et dit simplement : « C'est Jackie Brown ». Ou sa discussion avec Jackie sur le balcon, étouffé par les fenêtres, pendant que Louis (Robert de Niro) regarde. Tarantino fait de

Louis, le compagnon de cette grande gueule d'Ordell, quelqu'un qui ne parle pratiquement que par monosyllabes, créant l'une des meilleures séries de gags récurrents du film. De Niro se contente de hocher la tête et de grimacer tout au long des conversations où le truand fait son numéro, avant même qu'il se shoote avec Melanie (Bridget Fonda), gamine surfeuse défoncée vautrée sur le canapé d'Ordell comme une adolescente de Balthus, envoûtant Louis avec chaque glissement de ses longues jambes bronzées. Nous ne voyons d'elle d'abord que ses jambes, et ses mains sur la boisson d'Ordell, puis un peu plus tard, un gros plan sur ses doigts de pieds (toujours le fétichisme des pieds de Tarantino). Cet excellent moyen d'introduire un personnage, à petits coups de mystère, permet également un commentaire caustique : voilà tout ce qu'elle est pour ces hommes. La mutinerie impertinente de Melanie à propos des idioties qu'elle voit se dérouler dans la maison (« Il répète simplement la merde qu'il entend à la télévision ») puis sur le parking, lors de l'échange de l'argent, est l'une des meilleures idées du film.

« Quand l'objectif de la caméra fixe Melanie, Melanie est la personne la plus importante à l'écran », a noté Anthony Lane, retrouvant ici l'égalitarisme qui étayait déjà *Reservoir Dogs* et *Pulp Fiction,* considérant *Jackie Brown* comme « le film le plus démocratique et le moins frivole de Tarantino à ce jour – il semble avoir modéré son goût pour le mélodrame de camelote. » C'est aussi sa première tentative, sinon la dernière, de raconter une histoire d'amour. Max a cinquante-six ans, Jackie quarante-quatre ans. « Quelle est la dernière fois où, au cinéma – et encore moins dans un film de Tarantino – vous avez vu un tendre baiser sans aucune ironie entre deux personnes qui totalisent cent ans à eux deux ? », demande Anthony Lane.

Comme les meilleures histoires d'amour à l'écran, la leur est d'autant plus ensorcelante

qu'elle est non-dite, et leur séparation n'en est pas plus douce pour autant. « Je ne t'ai jamais menti, Max », affirme Jackie dans leurs derniers moments ensemble, et nous voyons que Max, avec son sourire chiffonné, croit sincèrement en elle. Ici, dans cette boutique de prêteur de cautions de la vallée de San Fernando, un homme abandonné partage une pensée avec la caméra doucement dissolvante de Tarantino : "Adieu, mon amour".

La performance de Forster tient l'édifice en place. « Il est comme un mur, ce Max, intelligent mais calme et réservé, et quand Forster joue avec Pam Grier – leurs scènes sont la plupart du temps de longues conversations – nous réalisons où Tarantino veut en venir, a écrit David Denby dans le *New Yorker.* Ces deux acteurs, assis à une table dans un bar sombre, ne s'ouvrent pas, ne se montrent pas particulièrement expressifs. Mais ils ne sont ni médiocres ni tape-à-l'œil. Leur force réside dans une sorte de pouvoir insensible, et il est possible que leur manque même d'ampleur et de souplesse soit une forme d'intégrité, dans l'esprit de Tarantino. »

Certains critiques considèrent que c'est son meilleur film, bien que cet avis ait tendance à révéler leur irritation du battage médiatique autour de *Pulp Fiction* ou encore à montrer leur

désapprobation pour Tarantino. C'est le film de Tarantino que les gens qui n'aiment pas Tarantino disent qu'ils aiment afin de communiquer subtilement le fait qu'ils n'aiment pas Tarantino, une louange qui est un très équivoque compliment pour le reste de son œuvre. « Malgré ses effets et ses numéros très imités, les personnages de Tarantino sont parfois éloquents et humains dans leur conversation, en particulier dans *Jackie Brown,* dit David Thomson dans son *Biographical Dictionary of Film.* Je le vois comme la meilleure preuve que Tarantino pourrait devenir un fabricant de comédies géniales. »

Devenir ? *Jackie Brown* semble plutôt offrir un aperçu alléchant de ce que le cinéaste Tarantino

PAGES PRÉCÉDENTES : Louis commence à perdre patience avec Melanie, ce qui va avoir des conséquences imprévues et désastreuses.

PAGE DE GAUCHE : Juxtaposition. Jackie et Ordell ont une explication bavarde sur le balcon, que Louis, toujours aussi mutique, observe de l'intérieur.

EN HAUT : Le début de l'histoire d'amour entre Jackie et Max.

À GAUCHE : Bridget Fonda en Melanie, gamine surfeuse défoncée vautrée sur le canapé d'Ordell.

> **« J'écris avec une méthode. Je deviens les personnages sur lesquels je travaille. C'est comme ça que je peux les faire parler. Je suis tout le monde. Je suis Louis. Je suis Melanie. »**

a choisi de *ne pas* devenir. Imaginez que les critiques aient accueilli plus chaleureusement ce Tarantino plus «mature», que Pam Grier ait reçu une nomination aux Oscars pour sa performance dans le film, aux côtés de Robert Forster, comme Tarantino l'espérait («Qui a été meilleure cette année?»). Imaginez que les fans lui aient fait un accueil aussi enthousiaste qu'à *Pulp Fiction* et qu'il ait rapporté près de 100 millions de dollars. Qu'est-ce qui serait passé alors?

En fait, le film marche bien, rapportant plus de 84 millions de dollars pour un budget de 12 millions, un succès pour tout le monde, mais pas un hit au niveau de *Pulp Fiction* (en France, il fait 1 300 000 entrées, la moitié de *Pulp Fiction*) et du coup, il est perçu par beaucoup comme une déception, idée que Tarantino semble reprendre à son compte. «On n'a pas beaucoup apprécié les aspects longs, en trois dimensions, à l'époque. Quand le film est sorti, c'était du genre: "Laisse tomber. Passe à autre chose." Maintenant, tout le monde semble voir les choses différemment.» Quand tout a été terminé, «le fait que le film n'ait

eu que peu d'écho après avoir quitté les salles m'en a un peu déconnecté. Je n'ai pas fait d'autre adaptation depuis. Je veux tomber *naturellement* sur la prochaine idée qui va m'exciter.»

Environ un an et demi après la sortie du film, un grand producteur international lui demande: «Quentin, maintenant que tout est dit et fait, regrettez-vous de ne pas avoir choisi de plus grandes stars pour *Jackie Brown*?

– Non, ils ont été fantastiques, répondit le réalisateur.

– Ouais, mais ça aurait pu faire plus.

– Que voulez-vous dire? Pour un film avec Pam Grier et Robert Forster, on a fait très fort.

– Tout repose sur vous.

– Oui, j'ai beaucoup de chance. Mon nom est assez connu pour que les gens aillent voir mon film, et je n'ai pas besoin de trouver un acteur pour faire connaître le film.»

Tout cela sera différent avec son prochain film, sur la vengeance, pas moins. Il n'y aura absolument aucune question sur qui l'écrit, qui le dirige, et avec qui.

EN HAUT : «Qui a été meilleure qu'elle ? » Tarantino était désespéré que Pam Grier ne soit pas nominée aux Oscars comme Robert Forster.

À DROITE : Robert De Niro est Louis.

KILL BILL

2003 / 2004

« La pression fait partie du jeu.
C'est le métier, la pression.
Une fois qu'on sait ça, il n'y a
rien de meilleur que de voir
des gens anticiper votre
prochain film et vous dire
où ils veulent que vous les
emmeniez. Ça vous inspire. »

EN HAUT : Le vieux gang. Les membres restants du Deadly Viper Assasination Squad penchés sur la Mariée.

À DROITE : « Nous étions sous le coup d'une aventure amoureuse très artistique. Elle est mon actrice. » Tarantino et sa muse, Uma Thurman, ont commencé à développer les idées de *Kill Bill* sur le tournage de *Pulp Fiction* en 1994.

« **Q**uand je débutais, j'admirais les grands metteurs en scène de films d'action, qui étaient pour moi les *vrais* réalisateurs », a déclaré Tarantino à *Vanity Fair,* pendant le montage de *Kill Bill* avec Sally Menke dans un petit bungalow juste au sud de la Paramount. « C'était ça, le cinéma. Avec *Kill Bill,* je voulais me tester, voir à quel point j'étais capable de le faire. Je voulais prendre le risque de me cogner la tête au plafond de mon propre talent. Ma seule motivation pour faire ce film était de monter la barre plus haut. Je disais : "*Kill Bill* doit être aux scènes de combat ce que la scène de *La Chevauchée des Walkyries* dans *Apocalypse Now* est aux scènes de bataille, sinon j'aurai échoué." Complètement. Si ça ne secoue pas vraiment au final, alors je ne suis pas aussi bon que je le pense. »

La base du scénario naît d'échanges à bâtons rompus avec Uma Thurman sur le tournage de *Pulp Fiction.* Ils commencent à parler de films de vengeance. Tarantino raconte combien il aime les films de kung-fu des années 1970. En quelques minutes, ils imaginent ce qui va devenir la scène d'ouverture : une jeune mariée abattue et laissée pour morte pendant son mariage. La Mariée est une meurtrière essayant de tourner la page violemment attaquée par son ancien gang, une bande de tueuses nommé The Deadly Viper Assassination Squad, qui n'est pas sans rappeler le gang féminin de *Fox Force Five,* le pilote télé que Mia Wallace raconte avoir interprété, dans *Pulp Fiction* : une blonde, une Japonaise, une noire, une Française, une spécialiste des armes blanches… Tarantino est tellement excité qu'il rentre chez lui et écrit neuf pages du script dans une frénésie de feutres multicolores, parlant du projet avec Uma à chaque occasion entre les prises. Il tourne son apparition dans *Desperado* de Robert Rodriguez aussitôt après le tournage de *Pulp Fiction* et révèle l'état déjà bien avancé de la scène d'ouverture dans une vidéo tournée par Richard Rodriguez :

« Fondu. Un mur couvert de sang et de cervelle. La caméra se penche sur un jeune homme en smoking couché sur le sol, tué d'un coup de fusil de chasse. Une voix de femme : "C'est Tim. Le meilleur ami d'Arthur." On se déplace vers une jeune femme forte en robe rose à volants, morte un bouquet de mariage à la main. "C'est ma meilleure amie au travail, Erica…"

– Ooooh ! lance Rodriguez derrière la caméra.

– On passe devant un petit garçon mort. "Je ne sais pas qui c'est. Un petit gamin, je ne me souviens pas de lui."

– Oh merde !

– Nous allons jusqu'à une belle jeune femme en une robe de mariée blanche, deux balles dans son corps, une dans la tête. Nous zoomons lentement sur son visage mort, les yeux ouverts. "Je suis restée dans le coma pendant cinq ans. Quand je me suis réveillée, je n'avais plus aucune émotion en moi. Plus aucune, sauf une, l'envie de me venger." Fondu sur un gros plan d'une jeune femme. En voiture, en mouvement, coucher de soleil. La jeune femme est derrière le volant d'une grosse voiture, coucher de soleil outrageusement orange et rouge en arrière-plan. Elle parle à la caméra. Elle a remis sa robe blanche de mariée…

– Sensationnel ! Elle a remis sa robe…

– Ouais. Elle raconte : "Un homme est responsable de tout ça. J'ai tué dix-huit hommes la semaine dernière, et je n'ai rien senti. Ces dix-huit cadavres n'étaient que dix-huit pas. Dix-huit pas pour arriver à lui, à lui

vers qui je vais car il n'y a plus personne à tuer sauf lui. Lui, qui s'appelle Bill. Quand je serai là où je vais, je vais tuer Bill."

– Oooh…

– Ensuite, la chanson du générique commence… »

Et puis Uma Thurman n'entend plus parler de rien. Les trente pages manuscrites sont retournées dans un tiroir pendant que Tarantino se lance dans son scénario sur la Seconde Guerre mondiale, *Inglourious Basterds.* « Quand va-t-on faire *Kill Bill* ? » demande-t-elle chaque fois qu'elle le voit. « Un jour, un jour », répond le cinéaste. Chacun part de son côté et ils ne se retrouvent qu'à une fête, chez Miramax, à l'occasion des Oscars en 2000. « Je l'avais vraiment perdu de vue, dit Uma. Je lui ai demandé : "Qu'est-il arrivé à ces pages ? Tu les as perdues ?" » Tarantino dit qu'il les a toujours dans un tiroir. Le soir même, il les ressort, les lit à nouveau et lance : « "C'est ça que je vais faire." Il se trouve que l'anniversaire d'Uma tombait le dimanche suivant, je suis allé à sa fête et je lui ai dit : "C'est ton cadeau, je vais finir d'écrire Kill Bill. En deux semaines." »

Un an et demi plus tard, il a terminé son script de 220 pages. Le mari d'Uma, Ethan Hawke, le lit et lui dit : « Quentin, si c'est l'épopée que tu veux faire avant de te lancer dans ton épopée, je crains de voir l'épopée. » Il s'inspire des films de vengeance *Lady Snowblood* de Toshiya Fujita. Tarantino prend complètement à son compte les conventions du genre. « Quand je faisais *Kill Bill,* j'étais la Mariée, dit-il. Les gens ont remarqué que lorsque j'écrivais, j'étais beaucoup plus féminin dans ma manière de voir les choses. Tout d'un coup, je me suis mis à acheter des choses pour ma maison. J'achetais des fleurs et je commençais à les arranger. Je ne porte pas de bijoux d'habitude, et soudainement je me suis mis à mettre des bijoux. Mes amis m'ont dit : « Tu es en plein dans ton côté féminin. Tu fais ton nid, tu te pares. »

Clairement, il a sa mère présente à l'esprit : la seule autre mariée enceinte qu'il connaisse, non pas quittée sur l'autel, mais abandonnée par son père avant sa naissance, le laissant, comme la fille de Béatrix, pendant longtemps avec un parent ignorant son existence. C'est un film où

À DROITE : Cette image promotionnelle donnait un indice sur la violence à venir en montrant la Mariée, innocente dans sa robe blanche, dégainant un sabre de samouraï.

vient se nicher son ambiguïté à propos des pères et des figures paternelles. « Le sous-texte vient frôler le texte », comme il dit. « À l'image de la plupart des hommes qui ne connaissaient pas leur père, Bill collectionne les images de pères », dit Esteban Vihaio (Michael Parks). Pour le jouer, Tarantino veut un acteur qui a connu quelque chose de semblable dans sa vie et sa carrière, Warren Beatty, mais il faut gravir une montagne. Le script est « si complètement différent de lui, dit Tarantino. Il m'a dit : "D'accord, Quentin, permets-moi de te poser une question. Ne sois pas offensé, je suis juste curieux : quelle serait ta réponse si quelqu'un te demandait ce qui empêche ce film d'être juste une suite de combats, l'un après l'autre, où chacun est plus intense que le précédent ?" J'ai répondu : "Eh bien, Warren, c'est une bonne description d'un film d'arts martiaux. Un film de kung-fu avec beaucoup de grands combats et chacun est meilleur que le précédent ? C'est ce que je veux faire, et si j'y arrive, j'en serai très heureux." »

Beatty signe en 2001, mais Uma Thurman et Ethan Hawke décident d'avoir un enfant et Tarantino choisit de ne pas chercher une autre actrice, de l'attendre et de retarder du coup le

film d'un an. « J'y ai pensé pendant deux ou trois semaines, a-t-il dit. Elle allait avoir son bébé, et le film, c'était le mien. Elle me laissait décider. Et j'ai décidé. Il fallait que ce soit elle. Si vous êtes Sergio Leone et que vous avez Clint Eastwood dans *Une Poignée de dollars,* s'il tombe malade, vous l'attendez. »

Le décalage d'un an est plus que suffisant pour briser la relation entre Tarantino et un Beatty finalement indécis. La désintégration de leur relation a été détaillée par David Carradine dans *Kill Bill Diary*. Lors d'une réunion au cours de laquelle l'engagement de la star dans le projet semblait vaciller, Warren Beatty a soudainement lâché : « Regarde, je ne m'intéresse pas aux films de kung-fu et je déteste les westerns spaghetti, même si j'aime bien Clint personnellement, et je n'irai pas voir un film de samouraï japonais même si tu me payais ! » Tarantino se rend compte « qu'il disait cela pour faire un effet, eh bien, vous savez, ça a bien eu un effet ! Ce n'était pas très affectueux. La relation entre un réalisateur et sa star doit comporter un peu de romantisme. Et Warren disait : "Hé, combien de temps ça va prendre ? Combien de temps pour mettre tout ça en place ? Je dois vraiment faire

EN HAUT ET À DROITE : David Carradine s'est montré beaucoup plus réceptif à la vision de Tarantino du personnage de Bill que son choix initial, Warren Beatty.

tout cet entraînement?" Je me disais: "Quand je pense que j'ai écrit vraiment ce personnage pour lui, autour de lui, tout ce temps, et merde!" Nous avons eu une autre réunion pour essayer de recoller les morceaux – Warren faisait partie du film depuis un an – et je lui ai dit comment je voulais qu'il joue, qu'il le fasse un peu à la David Carradine, et Warren m'a dit tout à coup: "Pourquoi tu ne le demandes pas à David, alors?"»

Trois jours après un dîner organisé par Lawrence Bender pour présenter Warren Beatty à Michael Madsen, qui joue son frère Budd, Madsen se souvient d'un appel téléphonique de Tarantino:

«"Eh bien, je viens de virer Warren.

– Oh mon Dieu. Tu l'as fait?

– Ouais, ouais. Il ne comprend pas de quoi parle le film, il n'a pas envie de le faire et je ne veux plus qu'il le fasse.

– Eh bien qui, nom de Dieu, va jouer Bill?

– Tu es assis?

– Ouais, vas-y, bordel. Qui?

– David Carradine."

Je me souviens que j'étais complètement, totalement stupéfait. Il m'a vraiment pris au dépourvu. Je n'aurais pas pensé à David en cherchant un million d'années.»

David Carradine avait glissé au fond du marché "horreur et films d'action directement en vidéo" depuis deux décennies, loin de la série télévisée pionnière *Kung Fu* des années 1970. Après sa première rencontre avec le réalisateur dans un restaurant thaï, il est si stupéfait de l'offre qu'il a du mal à retrouver sa Maserati.

Début avril 2002, les principaux acteurs, y compris Tarantino, qui avait projeté de jouer le maître de kung-fu sadique Pai Mei, se retrouvent pour un programme d'entraînement de six semaines avec Yuen Woo-ping, le chorégraphe d'arts martiaux des films *Matrix* et *Crouching Tiger, Hidden Dragon (Tigre et Dragon)*. À peine trois mois après avoir accouché, Uma Thurman doit maîtriser trois styles de kung-fu, deux styles de combat à l'épée, le lancer de couteaux, le combat au couteau, à mains nues, etc. «C'était littéralement absurde, dit l'actrice après s'être blessée à la tête en brandissant pour la première

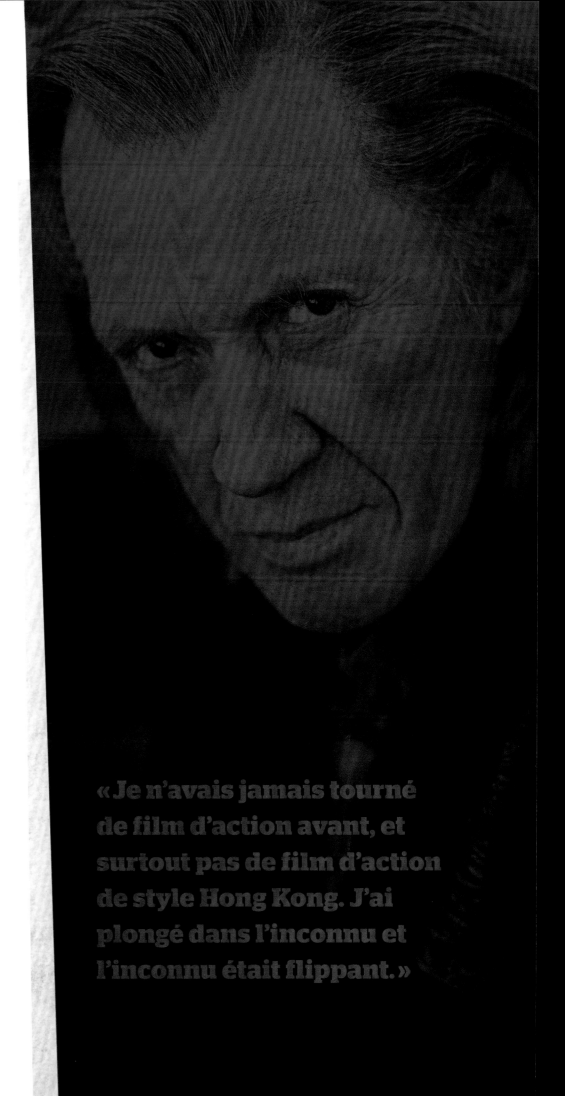

« Je n'avais jamais tourné de film d'action avant, et surtout pas de film d'action de style Hong Kong. J'ai plongé dans l'inconnu et l'inconnu était flippant. »

EN HAUT : Pour que la vision de Tarantino soit parfaitement réalisée, Uma Thurman et les autres acteurs se sont méticuleusement perfectionnés en kung-fu sous la direction du célèbre chorégraphe en arts martiaux Yuen Woo-ping.

À DROITE : Ces compétences sont mises à l'épreuve dans le combat entre Beatrix et les Crazy 88.

fois une épée de samouraï de cinq kilos. Dans ce film, on me tire dans la tête, je suis violée, frappée, battue et découpée à l'épée. Le film devrait s'appeler "Kill Uma". »

Au grand dam de l'actrice, Tarantino supprime la plupart des chorégraphies qu'elle a apprises, le jour où ils commencent à tourner à Beijing. « Je n'avais jamais fait de film d'action avant, dit le réalisateur, que la difficulté de communication avec l'équipe chinoise, dont peu de membres parlent anglais, frustre terriblement. Nous avons bousillé tout ce qu'on pouvait bousiller quand il fallait organiser ce film. Parce que nous ne savions pas ce que nous faisions. Il aurait fallu un story-board et tout ce bordel, mais nous n'avions rien de tout ça. Nous avons juste regardé la scène de combat au début de la journée et dit : "Okay, on va obtenir ça et puis ça. Qu'en pensez-vous, les gars ? Voyons le combat sur le plateau. La façon de le tourner, c'est comme ça." Ensuite, après l'avoir fait, vous voyez si vous avez besoin de plus de prises. Ou vous trouvez quelque chose de mieux pendant que vous le faites. C'était impossible de se rendre compte de la manière de tourner tout cela dans ma tête. »

Pour la première séquence du tournage, connue sous le nom de "Crazy 88", nom de la bande de yakusas que la Mariée massacre dans la discothèque The House of Blue Leaves, Tarantino conçoit un travelling compliqué pour lancer le carnage. Commençant derrière la scène, la Steadicam part vers la droite, se glisse sous l'escalier et suit la Mariée pendant qu'elle traverse la pièce, descend un couloir latéral, avant de monter par-dessus des cloisons pour continuer à la suivre d'en haut et redescendre quand elle entre dans les toilettes, puis la caméra pivote pour arriver sur la propriétaire de Blue Leaves et son manager, qu'on suit dans un escalier avant que le cameraman monte sur une grue qui traverse la piste de danse, passe devant le groupe jusqu'à l'escalier opposé, où la grue monte puis s'abaisse pour arriver sur Sophie Fatale (Julie Dreyfus), qu'on suit dans les toilettes, puis le long de la cloison d'une pièce à l'intérieur de laquelle la Mariée l'attend. Richardson et son équipe n'ont eu que six heures pour répéter le plan et une journée pour le tourner. Dans son journal du tournage, il note : « 18 juin : La difficulté de filmer les séquences d'arts martiaux est au-delà de ce que la plupart d'entre nous imaginaient. Quentin veut filmer plan par plan dans l'ordre éditorial, quel que soit le nombre de changements d'éclairage nécessaires. Difficile, inutile de le dire, mais si le processus permet à Quentin de se sentir mieux, nous devons le faire. Les critiques nous entourent. Laissons-les se psychanalyser eux-mêmes. »

Tarantino et Uma Thurman se disputent presque tous les jours, Uma faisant pression aussi bien sur des changements de garde-robe que sur la réécriture de dialogues. « C'est un film sur une femme qui défie cinq personnes en duel. C'est à peu près ça, se plaint-elle. Il est brillant, mais mon travail était de saisir ce personnage dans son monde sauvagement créatif, apparemment

improvisé, et de le rendre humain. C'était à moi de faire que le film soit davantage qu'un dessin animé. » Durant les huit semaines de tournage nécessaires pour vingt minutes de film au final, elle comprend qu'« à certains égards, j'étais dans un film muet. L'aspect physique du film, c'est ce qui comptait pour lui. »

Tarantino s'attaque à la logistique de ses nouvelles séquences de combat improvisées, et la production commence à prendre du retard. David Carradine arrive sur le plateau après une escale prolongée à Los Angeles, au milieu d'un tourbillon de rumeurs sur la production. « Tout le monde là-bas parie que *Kill Bill* est en difficulté, en retard, en dépassement de budget, tout ça, a-t-il noté dans son journal. Harvey Weinstein a-t-il toujours confiance en Quentin ? Est-ce que Quentin peut y arriver ? Est-ce que le film se remet sur la bonne voie ? » Finalement, les cadres de Miramax, inquiets, appellent Tarantino et lui demandent : « Qu'est-ce qui se passe ? Est-ce que le train est sur les rails ? » Le réalisateur s'emporte. « Ne me parlez pas de ce merdier, crie-t-il. Si j'avais voulu plus de jours, je n'avais qu'à les demander ! Si j'avais voulu plus d'argent, je n'avais qu'à le demander, et je l'aurais eu ! L'argent que je dépense, c'est mon argent ! J'en ai rien à foutre de ce que ces enfoirés disent, sauf Harvey et Bob ! Ils travaillent tous pour moi ! »

Arrivé sur le plateau pendant le dernier mois de tournage à Beijing, Harvey Weinstein se fait projeter par la monteuse Sally Menke une partie des séquences, à partir du découpage grossier qu'elle a assemblé et l'idée de diviser le film en deux parties s'impose. Il appelle alors immédiatement Tarantino pour le rassurer. « Quentin, c'est incroyable, dit-il. Tu as réussi ton film. Continue à travailler aussi bien, et aussi longtemps qu'il faudra, quel que soit le temps que ça prendra. Putain, ne t'inquiète pour rien. » Menke n'est pas surprise. « Très tôt, nous avions commencé à parler de couper le film en deux, ce ne fut pas une surprise, vu la quantité de scènes, dit-elle. Je dois dire que ce fut un soulagement. Ça voulait dire que nous pouvions y mettre tout ce que nous aimions tellement, plutôt que d'y aller en disant : "Oh non, il va falloir couper ça" ». Lorsque Tarantino termine le tournage en

Chine et rentre à Los Angeles en septembre, un tournage programmé pour vingt et un jours en a pris soixante-seize. Et il reste des séquences à tourner au Mexique et à Los Angeles. « Quentin m'a dit une fois que quand il concevait un film, il pensait qu'il ne voulait pas juste faire un film, il voulait le vivre, a noté Carradine. Pour en faire sa vie, son univers entier, aussi longtemps qu'il faudrait. Se perdre en lui. Hé bien, nous l'avons tous fait avec lui. *Kill Bill* et Supercool Manchu sont devenus nos vies. »

Lorsque le film est finalement terminé, en mars 2003, Tarantino a impressionné 250 000 m de film – 109 heures – et le budget est passé de 39 millions à 55 millions de dollars. C'est un Weinstein nerveux qui commence à concevoir les campagnes de marketing des deux films qui, maintenant, doivent devenir de gros succès, des *blockbusters*, pour être rentables, pendant que Tarantino travaille sur les montages à une allure furieuse pour que le premier film soit prêt en octobre 2003 et le second en avril 2004. Weinstein est inquiet que les femmes soient rebutées par la violence. « Ne t'inquiète pas, répondit Tarantino. Je pense que les filles de treize ans vont adorer *Kill Bill*. Je veux que les jeunes filles puissent le voir. Elles vont adorer le personnage d'Uma, la Mariée. Elles ont mon autorisation d'acheter un billet pour un autre film et de se faufiler dans la salle de *Kill Bill*. C'est de l'argent que je suis d'accord de ne pas toucher. »

La réaction d'Uma Thurman fut plus simple : « J'en suis vraiment très contente, dit-elle. Et très contente que ce soit fini. »

À la fin du générique, le film s'ouvre sur un plan calme d'une maison de la banlieue de Pasadena, sa pelouse parsemée de jouets. Au loin, on entend un chien qui aboie et une camionnette de crème glacée. Arrivée dans un pick-up jaune, une jeune femme (Uma Thurman) traverse le jardin et sonne. À peine une jeune femme noire (Vivica A. Fox) a-t-elle ouvert la porte qu'elle lui expédie un direct dans le nez. Un combat forcené à coups de pieds, poings, poêle, tisonnier, couteaux, détruit bientôt cadres, étagères et tables en verre dans le salon. La mêlée des filles est interrompue soudainement par le retour de l'école de la fille de la maison. « Nikki, dans ta

PAGES PRÉCÉDENTES : Tarantino et Uma Thurman pendant la préparation d'un plan du combat contre les Crazy 88.

PAGES SUIVANTES : Le résultat d'une des scènes virevoltantes du combat.

À GAUCHE : Derrière la caméra sur le plateau à Beijing.

EN HAUT : Les affiches originales des deux films.

« C'est vrai, *Kill Bill* est un film violent. Mais c'est un film de Tarantino. Vous n'allez pas, dans un concert de Metallica, leur demander de baisser le son. »

EN HAUT : Beatrix s'attaque d'abord
à Vernita Green (Vivica A. Fox) dans
son pavillon de Pasadena.

chambre, tout de suite », dit sa mère. « Je n'ai
pas du tout prévu de te tuer sous les yeux de ta
fille », dit Thurman à Fox, avant de prendre un
café avec elle dans la cuisine. Face au pistolet
de Fox caché dans une boîte de céréales, elle
lui plante un couteau dans la poitrine et sort en
marchant dans les céréales aux couleurs vives qui
craquent sous ses pieds. Les deux thèmes de *Kill
Bill* sont introduits simultanément : la vengeance
sanglante et impitoyable et la difficulté de
combiner une carrière d'assassin international
hautement rémunérée avec un entretien correct
de sa maison.

Beatrix Kiddo (Uma Thurman) cherche à se
venger du Deadly Viper Assassination Squad,
dirigé par Bill (David Carradine), pour avoir tué
son fiancé et son enfant à naître (le croit-elle).
Mais pourquoi Bill a-t-il fait ça ? Uniquement parce
que Beatrix a abandonné sa carrière d'assassin
international pour devenir maman. L'idée même
d'une telle normalité l'offense. Elle est dans le
déni de sa nature, lui dit-il.

BILL

Superman didn't become Superman.
Superman was born Superman. When
Superman wakes up in the morning, he's
Superman. His alter ego is Clark Kent. His
outfit with the big red « S », that's the blanket
he was wrapped in as a baby when the Kents
found him. Those are his clothes. What Kent
wears - the glasses, the business suit - that's
the costume. That's the costume Superman
wears to blend in with us. Clark Kent is
how Superman views us. And what are the
characteristics of Clark Kent. He's weak … he's
unsure of himself … he's a coward. Clark Kent is
Superman's critique on the whole human race.

BEATRIX

Are you calling me a superhero ?

BILL

I'm calling you a killer. A natural born killer.
Moving to El Paso, working in a used record
store, goin' to the movies with Tommy, clipping
coupons. That's you, trying to disguise yourself

as a worker bee. That's you tryin' to blend in with the hive. But you're not a worker bee. You're a renegade killer bee. And no matter how much beer you drank or barbecue you ate or how fat your ass got, nothing in the world would ever change that.

BILL

Superman n'a pas eu à devenir Superman. Superman est né Superman. Quand Superman se lève le matin, il est Superman. Son alter ego, c'est Clark Kent. Son costume, avec le grand S rouge, c'est la couverture dans laquelle il était enveloppé bébé, quand les Kent l'ont trouvé. C'est ça, sa tenue d'origine. Lorsque Kent met les lunettes, le costard, ça, c'est un déguisement. Ça, c'est le costume que Superman met pour donner le change. Clark Kent est l'image que Superman a de nous. Et qu'est-ce qui caractérise Clark Kent? Il est faible, il doute de lui-même, c'est un lâche. Il est la critique que fait Superman de toute l'humanité.

BEATRIX

Alors, je ferais partie des super-héros?

BILL

Tu fais partie des tueurs. Tu fais partie des tueurs-nés. Tu es faite pour ça et tu ne changeras jamais. Vivre à El Paso, travailler dans un magasin de disques d'occasion, aller au cinéma avec Tommy, découper des bons de réduction, c'était une façon d'essayer de te faire passer pour une abeille ouvrière, une façon de t'intégrer à la ruche. Mais tu n'es pas une ouvrière, tu es une guerrière, une tueuse. Et tu aurais beau boire des bières, organiser des barbecues dans ton jardin, prendre quelques kilos, rien jamais ne fera de toi ce que tu n'es pas.

EN HAUT:

Budd, Elle Driver, Vernita Green et O-Ren Ishii devant l'église où ils vont exécuter leur ancienne partenaire.

« Tu es une abeille tueuse renégate. » Bill va, malgré tout, échouer à endiguer le désir de Beatrix d'une vie "normale".

« La manière de tourner des Chinois est vraiment cool. Il n'y a pas vraiment d'organisation ni de planning stricts. J'avais certains plans en tête, que je voulais faire depuis un an et demi que j'écrivais le film, mais nous avons pu, le maître Yeun et moi, arriver avec de nouvelles idées pendant que nous filmions. »

EN BAS : Le kung-fu mis en valeur par le travail expert sur la lumière de Robert Richardson.

À DROITE : Beatrix montre ses talents, mais est loin d'être à la hauteur de Pai Mei, joué par le célèbre maître en arts martiaux Gordon Liu.

L'auto-citation devrait nous avertir ici, car l'histoire que raconte Tarantino dans *Kill Bill* est aussi l'histoire de Tarantino. Comme Beatrix Kiddo, il a essayé de quitter une entreprise d'assassinats, tenté de laisser sa réputation d'« obsédé des armes à feu » derrière lui, d'abord en déconstruisant les histoires, dans *Pulp Fiction*, puis en se posant, pour réaliser un film calme salué par la critique pour sa maturité, *Jackie Brown*, un film avec des personnages qui enragent tranquillement contre la vieillesse et se tracassent au sujet de leurs fesses ou de leur ventre, comme Beatrix le voudrait. Mais le film a été mal reçu, ou du moins n'a pas soulevé l'enthousiasme que Tarantino avait prévu, alors, après avoir mijoté dans son jus pendant quelques années, il revient avec un mélange ultra-violent de western spaghetti – film de blaxploitation – animé japonais – film d'action asiatique, le tout fouetté à mort pour tenter d'étancher une soif apparemment insondable de sang. C'est son film d'abeille tueuse.

« Ce qui différencie réellement le film de ses modèles est l'étourdissement de gamin passionné que Tarantino apporte à l'affaire », dit David Edelstein, de *Slate*, à propos de la longue séquence de combat contre les yakusas de Crazy 88, où l'éclairage laisse place un moment à une lumière bleue diffuse à travers une cloison quadrillée devant laquelle les silhouettes tournoient, insouciantes et élégantes comme dans un numéro de danse sur une scène. « C'est comme *Un Américain à Paris* avec du sang qui gicle. »

Dans le *New York Times*, Elvis Mitchell écrit : « Le film, qui vibre comme une poussée d'adrénaline geek, semble appartenir à un temps peut-être déjà passé, comme un film que M. Tarantino aurait pu faire avant *Pulp Fiction*. » Bien visé. De fait, ce *Kill Bill : Volume 1* est ce qui se rapproche avec le plus de force du film qu'il n'a jamais fait : « l'exercice flashy, stylistiquement audacieux dans le chaos cinématographique » que les critiques pensaient qu'ils avaient trouvé dans *Reservoir Dogs* et *Pulp Fiction* et qu'ils ont trouvé dans *Tueurs nés*. Tarantino a même engagé le directeur de la photographie d'Oliver Stone, Robert Richardson, pour tourner le film dans un style scintillant multiforme, comme un couteau suisse à cinq lames. « C'est un univers de cinéma au carré, où les conventions de cinéma sont étreintes, presque fétichisées, a-t-il dit, par opposition à l'autre univers, celui de *Pulp Fiction* et *Reservoir Dogs*, dans lequel réalité et conventions de cinéma entrent en collision. »

C'est une déclaration qui change le jeu, la rupture peut-être la plus importante dans la carrière d'un réalisateur à l'ère moderne. *Kill Bill* ne se contente pas de faire les choses différemment. Il fait une chose différente.

Comme Jules le dit, dans un contexte différent, dans *Pulp Fiction*, «ce n'est pas le même putain de stade, ce n'est pas le même championnat, ce n'est même pas le même putain de sport.» Il abandonne la comédie du quotidien basée sur le contraste de ses premiers films, pour se jeter dans le genre miroir, où le sang couleur framboise gicle comiquement des bras et torses sectionnés, où un personnage conduit une voiture en studio devant une route projetée en noir et blanc sur un écran, et où des nuages d'orage de série B projettent une pluie de série B.

Tout est du Tarantino très reconnaissable, et pourtant tout a complètement changé. Les céréales sur lesquelles marche la Mariée après le combat au couteau viennent clairement de la même partie du cerveau du réalisateur que l'assassinat de Vincent Vega déclenché par l'éjection des tartines du grille-pain de Butch dans *Pulp Fiction*. Mais là où la violence était spasmodique, hors de l'écran, et arrivait comme la chute d'une blague sur l'écart entre cinéma et réalité, elle est, dans *Kill Bill,* fortement chorégraphiée et correspond aux conventions des films d'arts martiaux de Hong Kong ou Taïwan. La petite fille de Vernita se comporte comme devant un match de boxe à la télévision. Et quand elles font une pause dans le combat et se parlent, c'est autre chose:

VERNITA

Be that as it may, I know I do not deserve mercy or forgiveness. However, I beseech you for both on behalf of my daughter.

VERNITA

D'accord, je sais que je ne mérite ni ton pardon ni ta pitié. Mais tout de même, si ce n'est pas pour moi, pour ma fille, je te demande de me les accorder.

L'écriture de Tarantino a toujours eu son répertoire plus élevé, bien sûr, mais il était ponctué des rythmes sales et profanes du jargon de la rue noire, que son oreille sait si bien capter, comme dans *Pulp Fiction* :

VINCENT

Jules, did you ever hear the philosophy that once a man admits that he's wrong that he is immediately forgiven for all wrongdoings? Have you ever heard that?

JULES

Get the fuck out my face with that shit! The motherfucker that said that shit never had to pick up itty-bitty pieces of skull on account of your dumb ass.

VINCENT

Jules, tu connais le philosophe qui a dit qu'on était à moitié pardonné une fois qu'on avait reconnu ses fautes?
C'est un grand monsieur qui a dit ça, tu devrais connaître.

JULES

Et en plus tu te fous de ma gueule avec tes conneries! L'empaffé qui a dit ça, il a jamais eu à ramasser des petits bouts de cervelle à cause d'un débile dans ton genre.

Dans *Kill Bill*, les personnages s'expriment dans un nouveau langage fleuri que Tarantino a conçu. Ils parlent «d'avoir satisfaction» les uns des autres comme des fats du XVIIIᵉ siècle et utilisent des formes élaborées: «Quand on parvient à mener la tâche difficile de devenir reine de la pègre de Tokyo, n'est-ce pas qu'on ne le maintient pas secret?» Comme s'ils avaient tous avalé des dictionnaires. La première réaction de certains critiques, lorsque *Kill Bill : Volume 1* est sorti, est de prendre le deuil de la perte du populaire dans l'écriture de Tarantino. «Le cinéaste qui, avec *Pulp Fiction*, avait découvert une nouvelle façon d'écrire un dialogue de cinéma, pop, surréaliste, méchant et incroyablement drôle, s'est installé dans un idiome pseudo-suave qui s'étale sur l'écran comme un gilet lesté de plomb», écrit, dans le *New Yorker*, David Denby, que le second film réconforte, mais pas trop : «L'encyclopédiste de la culture populaire et le génie de magasin de vidéos est devenu mégalo, et le cinéaste exaltant qu'il aurait pu être en train de vite disparaître.»

Il est certain que l'ensemble, qui a été conçu et tourné comme un seul film, n'est pas mis en valeur par sa diffusion coupée et décalée. Si on enlève la majeure partie du matériau de Bill et la substance de la performance de Thurman, le premier film est une effusion non-stop de sang, interrompue seulement par une séquence interminable avec Sonny Chiba (Hattori Hanzo) récitant du charabia de Shaolin et argumentant à des volumes assourdissants à propos de saké. On croirait un plagiat extrême-oriental du cinéaste qui avait fourni à John Travolta et Samuel L. Jackson leur bavardage sur le massage des pieds. Rétrospectivement, voir le *Volume 1* sans voir le *Volume 2*, c'est comme quitter la projection d'*Apocalypse Now* juste au moment où on arrive dans le camp de Kurtz. Le *Volume 2* contient toute la poésie sombre et la force dans les thèmes qui manquent au premier.

Nous avons les combats de Beatrix avec l'ex-assassin Budd (Michael Madsen), un alcoolique fataliste vivant dans un mobile-home puis avec la borgne infernale jouée par Daryl Hannah, au milieu de vastes paysages texans qui semblent tout droit sortis de Sergio Leone. Regardant vers l'Ouest et non plus vers l'Est, le film parle la langue maternelle de Tarantino, pas sa deuxième langue. Et, mieux que tout, nous avons finalement Bill. Parlant doucement, prodigieusement cool, son visage érodé superbement osseux, Carradine fait de Bill une créature d'une magnifique perversité, parlant tendrement à Uma comme s'il lui disait adieu, menaçant, comme s'il était le père de la mariée. Il pourrait l'épouser, ou l'assassiner, ou les deux.

Donnant enfin un poids humain au film, Uma Thurman s'anime dans leur scène de retrouvailles. « Thurman, qui a une qualité de voix lyrique et aguichante – si Dusty Springfield avait été une actrice, elle aurait été Mme Thurman – est l'interprète idéale de l'espièglerie mordante de M. Tarantino, a écrit Elvis Mitchell dans le *New York Times*. « Les films [de Tarantino] parlent de perte et de trahison, et *Kill Bill: Volume 2* nous en sert un double hamburger, riche, solide et

PAGE DE GAUCHE : Après avoir tué Budd, Elle se prépare à se défendre contre une Beatrix en furie.

EN HAUT : Les borgnes de cinéma. Tarantino plaisante sur le tournage avec Daryl Hannah (Elle Driver).

À GAUCHE : Michael Madsen, dans son deuxième film avec Tarantino, joue Budd, l'ex-assassin alcoolique.

PAGES PRÉCÉDENTES : La violence peut être aussi psychologique. Budd enterre Beatrix vivante avec une torche lumineuse.

EN HAUT : Tarantino et Uma Thurman célèbrent le succès du film, ici lors d'une conférence de presse à Berlin, en 2003.

À DROITE : « Toi et moi n'en avons pas fini ensemble. » Beatrix et Bill finalement face à face.

consistant, accompagné d'un truc bien gras, une portion extra-large de chips au piment avec du ketchup, du sel et du fromage. »

Tarantino finit par monter les deux volumes ensemble en 2011 et présente *Kill Bill : The Whole Bloody Affair* au public américain au New Beverly, le 27 mars, pour son anniversaire, date d'une évidente importance, étant donné la résonance autobiographique du film. Il a allongé la séquence animée à trente minutes et repassé le combat avec les Crazy 88 en couleurs, mais le changement de loin le plus important a été de supprimer le spoiler de la fin du *Volume 1*, qui prévenait le public de la survie de la fille de la Mariée. La surprise de l'auditoire est ainsi synchronisée avec celle de Beatrix, dans la bobine finale. C'est le plus grand choc du film : le visage d'Uma s'effondre quand la première chose que sa fille lui demande est de mimer un duel au pistolet avec elle. Elle fait la morte, et toute la frénésie du film est d'un coup révélée comme un jeu d'enfant. Puis mère et fille regardent ensemble *Shogun Assassin*, dans le lit de la fillette, ce que Tarantino enfant faisait en cachette.

Sa confrontation finale avec Bill a la tranquillité étrange des fumeries d'opium, de la fascination des cobras, des scènes primales freudiennes, des torts œdipiens redressés. Beatrix tue Bill grâce à la technique des cinq-points-et-la-paume-qui-font-exploser-le-cœur, elle lui brise littéralement le cœur. Il tombe au sol sans cérémonie, comme une marionnette aux fils coupés, la platitude même du tableau, après la dextérité de tout ce qui l'a précédé, soulignant la signification de ce à quoi nous assistons. La dernière séquence du film montre Beatrix, recroquevillée sur le sol de sa salle de bains, une peluche dans les bras. Passant des sanglots aux rires, remerciant, elle retrouve la normalité qu'elle espérait depuis si longtemps, puis rejoint sa fille qui regarde des dessins animés dans la pièce voisine.

Tarantino le pensait-il ? Les deux films sont d'énormes succès : le premier rapporte 181 millions de dollars, le second 152 millions (respectivement plus d'1,9 et 1,4 millions d'entrées en France). *Jackie Brown* est largué.

Le soliloque de Bill à propos de Superman est suspendu sur la deuxième moitié de la carrière de Tarantino, quelque part entre une menace et une promesse. Il a éprouvé avec *Jackie Brown* ce que c'est que d'être Clark Kent : vulnérable, meurtri, humain, mortel, mais aussi loué pour sa maturité, son évolution. Il a aussi, avec *Kill Bill*, goûté aux superpouvoirs, à l'invulnérabilité, fait un bond au box-office, mais qui implique un rejet de la normalité, de la texture naturaliste de la vie quotidienne, tant convoitée par Beatrix. Quelle voie, à l'avenir, choisira-t-il ?

« J'ai écrit le film que je voulais voir. Je fais mes films pour mes fans mais je me considère comme mon plus grand fan. Je le réalise pour moi et tout le monde est invité. »

BOULEVARD DE LA MORT

2007

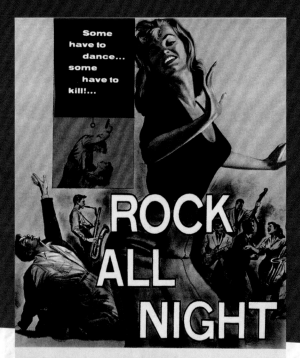

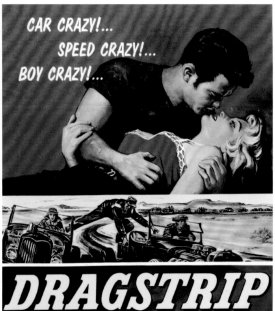

À GAUCHE : Le double
programme de 1957
regroupant *Rock All
Night* et *Dragstrip Girl*
a inspiré *Grindhouse*.

À DROITE : L'affiche
du double programme de
Tarantino et Rodriguez.

Death Proof *(Boulevard de la mort)* sort dans le
cadre d'un programme double (deux films pour
le prix d'un) baptisé *Grindhouse*, accompagné
de *Planet Terror (Planète terreur)*, le film de
Robert Rodriguez (*grindhouse* est le nom donné à une salle de
cinéma qui projette essentiellement des films dits d'exploitation,
des films de genre, bon marché, qui visent l'exploitation
commerciale – NdT).

« L'une des choses que j'ai toujours aimées dans les films
d'exploitation, c'est que, même au milieu de tout ce qui se
passe, vous vous mettez tout d'un coup à faire attention aux
personnages, a déclaré Tarantino à *Wired*, surtout quand vous les
regardez avec un public moderne. Quand je montre ces films à
mes amis, je dis : "Regardez, il y a des choses drôles dans ces films,
mais, s'il vous plaît, riez quand c'est drôle, et pas pour montrer
que vous êtes au-dessus de ça et que vous êtes cools. Ne riez pas
du film, riez avec lui. Et si vous résistez à la tentation de ridiculiser
cette merde et que vous la prenez au premier degré, vous allez
être surpris. Tout d'un coup, vous allez entrer dans le film." »

L'idée de *Boulevard de la mort* est venue à Tarantino après
une période de plongée dans les films d'horreur de la fin des
années 1970 au milieu des années 1980, avec le réalisateur Robert
Rodriguez. Ils avaient l'habitude de regarder des films ensemble
chez Tarantino. Un jour, admirant une affiche pour un programme
double de 1957, *Dragstrip Girl* et *Rock All Night*, Rodriguez dit :

A RODRIGUEZ/TARANTINO DOUBLE FEATURE

GRINDHOUSE

THE LAST HOPE FOR HUMANITY...
RESTS ON A HIGH-POWER MACHINE GUN!

QUENTIN TARANTINO and ROBERT RODRIGUEZ are back!

But this time they're **BACK to BACK!**

These 8 women are about to meet 1 diabolical man!

KURT RUSSELL is

PLANET TERROR

Plus

'DEATH PROOF'

See!

TWO GREAT MOVIES FOR THE PRICE OF ONE!

TOGETHER IN ONE SMASH EXPLOSIVE SHOW

TROUBLEMAKER STUDIOS

APRIL 6, 2007

DIMENSION

EN HAUT:
Avec les filles sur le tournage dans
le Texas Chili Parlor.

La danseuse exotique du film de
Rodriguez, plus fantastique, a été
attaquée par des zombies et sa jambe
remplacée par une mitrailleuse.

EN HAUT À DROITE : Angoisse et
tentation. Mike le cascadeur attire
sa première victime, inattendue.

PAGE DE DROITE : Entre film d'horreur
et comédie pour ados, l'attention de
Tarantino, dans ce film, est focalisée
sur ses huit actrices.

« Nous devrions faire un programme à deux films.
Je réaliserais l'un et toi l'autre. » L'essentiel de
Grindhouse est parti de là.

Pour sa moitié de programme, Rodriguez
veut réaliser un film sur une danseuse exotique
dont la carrière est brisée quand sa jambe droite,
dévorée par des zombies mangeurs d'hommes,
est remplacée par une prothèse-mitrailleuse.

Tarantino, lui, a depuis longtemps une
fascination pour les cascadeurs et pour la manière
dont ils rendent leurs voitures "à l'épreuve de la
mort" *(Death Proof)*, afin de survivre à d'horribles
accidents à grande vitesse. Il parle avec un ami
d'acheter une Volvo parce qu'il « ne veut pas
mourir dans un accident de voiture comme celui
de Butch dans *Pulp Fiction* », ce à quoi son ami
répond : « Eh bien, tu peux prendre n'importe
quelle voiture et la donner à une équipe de
cascadeurs, pour 10 000 ou 15 000 dollars, ils te
la mettront à l'épreuve de la mort. » La phrase
s'est scotchée dans sa tête. Son film parle d'un
cascadeur fêlé qui traque et assassine des jeunes
femmes sexy avec sa voiture. L'ensemble est une
sorte de film d'horreur qui marche sur la tête, la
moitié Tarantino étant une sorte de film à l'eau

de rose s'intéressant plus à ses personnages
qu'à l'action. « Je me suis rendu compte que si je
faisais mon propre film d'horreur, il serait bien trop
introspectif. J'ai donc décidé de l'écrire comme
Reservoir Dogs, qui est une version baroque d'un
film de braquage. *Boulevard de la mort* est une
version baroque d'un film d'horreur. »

C'est son premier script mettant en vedette un
casting presque entièrement féminin, s'appuyant
sur les nombreuses années où Tarantino a traîné
avec ses amies. En écoutant le réalisateur lire le
script à haute voix pour lui, le critique de cinéma
Elvis Mitchell a noté : « Autant que la possibilité de
faire bouger sa réputation de cinéaste de bandes
de garçons, je pouvais entendre l'excitation qu'il
avait à fournir un dialogue qui montrait qu'il
avait passé tellement de temps à écouter des
femmes et à s'imprégner de leurs attitudes et de
leurs rythmes. » En tant que tel, c'est un retour
à l'univers de *Reservoir Dogs* et de *Pulp Fiction*,
dans lequel les conventions de cinéma se frottent
à la vie réelle et se font cabosser les ailes. « Selon
moi, dans *Kill Bill*, j'ai créé ma propre forme de
réalité. Dans ce monde, un dessin animé peut
d'un coup vous raconter une partie de l'histoire,

« Je me suis rendu compte que si je faisais mon propre film d'horreur, il serait bien trop introspectif. J'ai donc décidé de l'écrire comme *Reservoir Dogs*, qui est une version baroque d'un film de braquage. *Boulevard de la mort* est une version baroque d'un film d'horreur. »

et on peut garder son sabre de samouraï dans la cabine d'un avion. Mais il n'y a rien de fantastique dans *Boulevard de la mort*. Tout se passe dans le monde réel… Vous pourriez être en voiture comme ça. Vous pourriez rencontrer un type comme Mike le cascadeur. Et vous faire avoir par lui. Quand il fonce vers vous à cent cinquante kilomètres à l'heure, vous ne pouvez rien faire. »

La fille de Sidney Poitier, Sydney Tamiia Poitier, qui avait auditionné pour un rôle dans *Kill Bill*, est choisie pour Jungle Julia. En ouvrant le scénario, la première chose qu'elle a lue est : « Les pieds d'Arlene sur le tableau de bord, puis plan de coupe sur les pieds de Jungle Julia marchant dans le couloir », alors, à l'audition, la première chose qu'elle a faite est de s'asseoir, enlever ses chaussures et poser ses pieds sur la table. Vanessa Ferlito (Arlene) était déjà une amie du réalisateur. « Il est très empathique, dit-elle. Il écoute chaque mot de tout ce que vous dites. Il a écrit le rôle pour moi parce que c'est quelque chose dont je lui ai parlé à propos d'un gars. Il écoute, et puis deux ans plus tard, il dit : "Rappelle-toi cette histoire…" Et moi : "Quoi ? Laquelle ?" Il est attentif, même si vous pensez qu'il est absent, il est là et il écoute. Il ne manque rien. »

Le rôle de Mike le cascadeur était destiné à Mickey Rourke, mais après les premières discussions, l'acteur abandonne pour des raisons peu claires. Tarantino envisage de le remplacer par Willem Dafoe, John Malkovich ou Sylvester Stallone, mais Stallone lui dit : « Pas question. J'ai

deux filles, et ce type, son hobby est de mettre des ados dans sa voiture pour les briser. Ça ne marchera pas. » Il est alors allé voir Kurt Russell. « Tout ce que je souhaite, c'est ne pas aller chez le prochain type, tu sais, celui qui ressemble presque au mec, parce que ça me donnerait l'occasion de repenser tout mon film, dit-il. Il y a chez Kurt un côté formidable, et c'est fantastique, c'est qu'il est le reflet de Mike. C'est un professionnel et il est dans ce business depuis longtemps. Il a fait tous ces épisodes de séries télé, *The High Chaparral* (*Le Grand Chaparral*) et *Harry O*. Il a travaillé avec tout le monde. Littéralement. Donc, il connaît la vie que Mike le cascadeur a eue. »

Au début du tournage, il demanda à Tarantino : « Est-ce que ce gars devient un lâche ? et le réalisateur lui répondit : « Eh bien, oui, un peu, en quelque sorte. » Dans la scène, à la fin, où les filles tirent Mike de la voiture et où il hurle au meurtre sanglant, Tarantino va vers lui après la première prise : « Kurt, est-ce que tu penses que tu pourrais descendre d'un cran, juste un petit peu ? », ce à quoi Russell répond : « Je n'aurais jamais pensé que je t'entendrais me dire "Descends d'un cran". » En fait, ils ont gardé cette prise. « C'était assez fascinant de voir ce personnage s'effondrer totalement en face de vous, dit Rosario Dawson (Abernathy). Qu'il l'ait joué comme un lion froussard est un choix aussi courageux qu'intéressant… En fait, c'est plus facile avec quelqu'un comme Kurt, qui le joue comme un cascadeur lessivé un peu ringard, et plutôt

PAGES PRÉCÉDENTES : « J'apprécie les pieds des femmes, mais je n'ai jamais dit que j'étais fétichiste. » Tarantino insiste quand même une fois de plus ici sur sa partie préférée du corps féminin.

À GAUCHE : Kurt Russell donne au personnage de Mike une dimension de lâcheté qui l'enrichit.

EN HAUT À GAUCHE : DJ Jungle Julia (Sydney Tamiia Poitier) au Texas Chili Parlor avec Arlene (Vanessa Ferlito).

EN HAUT À DROITE : Tarantino et Kurt Russell sur le tournage.

« Les images de synthèse ont ruiné les accidents de voitures au cinéma. Dans les années 1970, c'était de vraies voitures, du vrai métal, de vraies explosions. Les cascadeurs risquaient vraiment leurs vies. »

mignon, et vous êtes là : "hé, il est inoffensif…" Je dois dire que si ça avait été Mickey, je me serais dit : "Tu es une imbécile et tu mérites de mourir si tu montes dans la voiture avec ce gars." Parce qu'il a l'air vraiment effrayant. On ne peut pas penser autrement. »

Tarantino a laissé passer bien des erreurs pendant le tournage, et si l'image était floue pendant une demi-seconde, « nous nous disions simplement : "Hey, c'est du *grindhouse* !" », mais pour l'accident de voiture, il a six semaines et il veut que le crash soit aussi réaliste que possible : « Sur ce qui arrive aux gens dans un accident, ça doit déchirer. » Il veut aussi que le public soit complice : « Si, à la dernière seconde, les filles avaient freiné et que ça avait raté, ils auraient

été fâchés, a t-il dit. Ils seraient furieux. Il faut les rendre complices, les faire vouloir et attendre ça. Alors, Bang ! Ça arrive et c'est tellement plus horrible que tout ce qu'ils auraient pu imaginer. Mais… Trop tard ! Tu voulais que ça arrive. Tu l'as voulu. Tu es complice. Maintenant, prends ton médicament ! Et tu devrais te sentir un peu mal, un peu honteux, mais tu te sens comme quand tu es arrivé. Maintenant allumez vos cigarettes ! On n'y est pas allés de main morte. »

Pour rendre l'expérience plus proche des vieux films de série B, Tarantino et Rodriguez ajoutent au montage des amorces de bobines et rayent les tirages avec des stylos et des aiguilles. L'assistant de Tarantino sort le film de la salle de montage pour le frotter contre les buissons de

l'allée. « Nous avons demandé au laboratoire de le rendre plus sale, dit Tarantino. On ne l'a pas eu vraiment – on était trop prudents. Nous aurions dû salir bien plus certaines scènes. Le laboratoire a bien apprécié, cependant, de ne pas avoir à faire attention. "Vous voulez fumer en travaillant ? Pas de problème." »

Contraint de couper trente minutes de son film pour que l'ensemble du programme double ne dépasse pas les trois heures de projection, Tarantino se concentre sur les scènes avec les actrices, les huit actrices, traînant dans les bars et envoyant des textos à leurs petits amis absents. « J'étais comme un distributeur exploitant américain brutal, qui coupe un film presque jusqu'à l'incohérence. Je l'ai coupé jusqu'à l'os et j'ai enlevé toute la graisse pour voir s'il pouvait exister encore, et ça marchait. »

Malgré des critiques largement positives aux États-Unis, *Grindhouse*, avec une sortie désastreuse le week-end de Pâques, ne fait que 25 millions de dollars au box-office américain et 384 191 dollars à l'étranger. Le format de double projection trouble le public, comme les fausses bandes-annonces pour des films inexistants et les effets de pellicule vieillie. « D'abord, est-ce quelqu'un se soucie vraiment beaucoup du genre de film *grindhouse*, à part Tarantino et Rodriguez ? » demanda *Variety*.

Sorti séparément en France, *Boulevard de la mort* touche à peine plus de 600 000 spectateurs (moins de la moitié de *Jackie Brown,* son plus mauvais score jusque-là).

« Oh, comme c'était décevant », dit Tarantino qui passé le week-end de la sortie à tourner dans Los Angeles au volant de sa Mustang jaune et noir, allant voir le film huit fois dans des cinémas différents pour mesurer la réaction de l'auditoire.

« Je connais vraiment bien les carrières de beaucoup de réalisateurs, vous savez, et quand vous regardez leurs derniers films, quand ils étaient dépassés, quand ils étaient trop vieux, ils sont vraiment hors du temps, que ce soit William Wyler et *The Liberation of L.B. Jones (On n'achète pas le silence)* ou Billy Wilder avec *Fedora* puis *Buddy Buddy (Victor la gaffe),* ou d'autres. Pour moi, c'est ma filmographie qui est en jeu et je veux me retirer avec une filmographie d'enfer. *Boulevard de la mort* est sans doute le plus mauvais film que j'ai jamais réalisé. Mais pour un film raté, c'est pas si mal, non ? Donc, si c'est le pire que je fais jamais, je suis bon. Mais je pense que l'un de ces films décalés, vieux, mous, pas bandants, vous coûte trois bons films en termes de réputation. »

Tarantino nous fait ici le coup de l'orgueil inversé, comme s'il essayait de surpasser ses critiques en s'autoflagellant. Une fois libéré du poids mort de *Planète terreur* dans les salles de cinéma et rallongé à 117 minutes pour la sortie

PAGE DE GAUCHE : Rétif aux images de synthèse, Tarantino voulait que la scène de l'accident soit aussi réaliste que possible.

EN HAUT : Avec Robert Rodriguez à la première de *Grindhouse,* Los Angeles, 2007.

À GAUCHE : Tarantino et Rodriguez entourés des actrices du film, lors de la première à Los Angeles.

en DVD, *Boulevard de la mort,* qui reste son film le plus court depuis *Reservoir Dogs,* est une ode au caoutchouc brûlé et aux ailes froissées, sale et au ras du sol, ornée d'un portrait tendre et merveilleusement franc des bandes de femmes, un peu comme si *Crash* de J. G. Ballard était réécrit par Toni Morrison. « Parfois, on dirait une version *grindhouse* de *The View* (célèbre émission américaine de la chaîne ABC où des personnalités féminines échangent sur l'actualité – NdT) », écrit Dana Stevens dans *Slate,* applaudissant à ce que « les femmes apparaissent comme des personnages individualisés et dynamiques : pas la salope, la chic fille, et la meilleure amie tranquille, mais trois chahuteuses, sans complexe pour le sexe mais se souciant plus les unes des autres que des mecs qui essaient de se glisser dans leurs culottes. » Peut-on en même temps les utiliser et chanter un hymne à l'autonomie des femmes ? Si vous vous appelez Quentin Tarantino, apparemment oui.

Un autre grand plaisir, pour lui, après sa visite à travers le miroir de *Kill Bill,* est le retour à un coin reconnaissable de la planète Terre qu'on serait tenté d'appeler "réalité", ou, si cela semble trop élastique, alors, certainement à un endroit où on peut acheter un taco décent. « Ses films ne se déroulent pas dans le vide, souligne Elvis Mitchell dans son introduction à l'édition du scénario. Son sens de la communauté est indéniable et contrôle la conception des personnages, des personnages qui vivent réellement dans tel ou tel endroit. »

Dans la plupart de ses films, c'est Los Angeles, mais pour *Boulevard de la mort,* c'est Austin, Texas, un amalgame de ville universitaire, de pôle d'attraction musical et de paysage de rêve tranquille… Le flottement du "tout peut arriver" typique d'Austin et la convivialité hyper-volubile des Texans (qui peut prendre un mauvais virage après trop de tequilas) font partie de l'ambiance de *Boulevard de la mort.* »

Trois fêtardes, une DJ d'Austin connue sous le nom de Jungle Julia (Sydney Tamiia Poitier) et ses amies Shanna (Jordan Ladd) et "Butterfly" Arlene (Vanessa Ferlito) planifient une nuit de margueritas et de nourriture mexicaine au Texas

Chili Parlor pour célébrer l'anniversaire de Julia. Tarantino filme lui-même, en plus d'apparaître comme un barman du Texas Chili Parlor, prêtant même son propre juke-box.

L'endroit semble faire ressortir le Godard en lui, donnant une alternance de plans longs et de gros plans, du juke-box, d'une rangée de shots de bourbon, et du fabuleux derrière de Sydney Tamiia Poitier qui se glisse vers le juke-box pour mettre le tube de Joe Tex de 1966, *The Love You Save May Be Your Own.* L'attitude de Tarantino à l'égard de ces femmes est quelque part entre le sifflement du loup de Tex Avery et une poignée de mains virile : en grand frère luxurieux, il reluque leurs corps sans vergogne mais il célèbre aussi leurs victoires comme une âme sœur à qui on a fait l'honneur de donner accès au sanctuaire de leurs turbulents bavardages libidineux :

ARLENE
We didn't do the thing.
SHANNA
Excuse me for living but what is the thing ?
ARLENE
You know, it's everything but.

« J'étais comme un distributeur exploitant américain brutal, qui coupe un film presque jusqu'à l'incohérence. Je l'ai coupé jusqu'à l'os et j'ai enlevé toute la graisse pour voir s'il pouvait exister encore, et ça marchait. »

SHANNA
They call it the thing?
ARLENE
I call it the thing.
SHANNA
Do guys like the thing?
ARLENE
They like it better than no thing.

ARLENE
On n'a pas fait la chose.
SHANNA
Excuse-moi de la ramener,
mais c'est quoi, la chose?
ARLENE
Tu sais bien, c'est tout sauf baiser.
SHANNA
Pour ça, les gars disent la chose?
ARLENE
C'est moi qui dit la chose.
SHANNA
Et ça leur plaît de faire que ça?
ARLENE
C'est mieux que de se la mettre sur l'oreille.
Les Spice Girls revues par Harold Pinter…

Assis au bar, ingurgitant un grand plat de nachos, filmé en oblique, éclairé de trois-quarts arrière, comme Elvis en pause casse-croûte, Mike le cascadeur, un beau mec meurtri, balafré, qui prétend avoir effectué des cascades sur plusieurs séries télévisées. « Il n'y a rien de plus ravissant que de voir un ego meurtri sur le beau visage d'un ange », dit-il à Arlene avant de faire visiter sa voiture : une Dodge Charger renforcée qu'il prétend « à l'épreuve de la mort », peinte en noir mat, avec une tête de mort sur le capot et un canard en guise d'ornement.

Tarantino laisse la scène se dérouler encore et encore, et plus sa caméra tourne dans le bar, plus l'angoisse devient difficile à dissiper. Mike charme les filles, se fait chauffer par une danse sexy de Butterfly, part avec une fausse blonde puis, quand les filles quittent le bar, les tue en les percutant frontalement sur une route de campagne vide.

Juste avant, elles écoutent *Hold Tight*, la perle oubliée de Dave Dee, Dozy, Beaky, Mick & Tich. Tarantino montre l'accident quatre fois, les femmes déchirées encore et encore. Leur mort est très différente d'autres morts au cinéma, elle est dégoûtante, haineuse et déchirante, comme un

PAGE DE GAUCHE : Préparation d'un gros plan sur Mike le cascadeur.

EN HAUT : Tarantino fait une apparition en barman du Texas Chili Parlor.

EN HAUT : La peur dans les yeux, Julia (Sydney Tamiia Poitier), Shanna (Jordan Ladd) et Lanna (Monica Staggs) face à leur destin.

À DROITE : Mike le cascadeur au volant de sa voiture "à l'épreuve de la mort".

artiste qui défigure son propre travail : ces mêmes corps et âmes que Tarantino a si tendrement dépeints sont maintenant broyés.

« C'est comme s'il ne pouvait pas choisir entre humaniste et nihiliste », a déclaré David Denby dans le *New Yorker,* bien que la bonne réponse soit évidemment : il est les deux. « C'est un humaniste prédateur, a écrit fort justement David Edelstein dans *Slate,* un monstre de cinéma qui aime voir les femmes à l'écran pratiquement autant qu'il aime punir les femmes à l'écran, et qui (ce qui en fait un artiste) tire le meilleur de sa propre ambivalence. »

Le film reflète exactement cette ambivalence : il est divisé en deux moitiés, comme les panneaux d'un diptyque. D'un côté, une vision du Mike triomphant, en style d'époque avec une pellicule vieillie. De l'autre côté, le panneau opposé est exempt de marques sur la pellicule, avec des couleurs profondément saturées et une nouvelle race de femmes sans peur : Abernathy (Rosario Dawson), Kim (Tracie Thoms), Lee (Mary Elizabeth Winstead) et Zoë Bell (elle-même). C'est jour de congé pour ces cascadeuses en tournage dans la région qui flashent sur les *speedsters,* les superhéros vintage, et les films de *muscle cars* comme *Vanishing Point (Point limite zéro)* et *Dirty Mary Crazy Larry (Larry le dingue, Mary la garce).*

La seule chose qui est capable de battre un cascadeur, en fait, ce sont deux cascadeuses : dans *Boulevard de la mort,* Tarantino fait tout le

chemin à l'ancienne, avec des voitures rapides et de vrais êtres humains qui font des choses folles. Pour le plaisir, Zoë Bell s'installe sur le capot d'une Dodge Challenger 1970, avec juste une courroie pour se retenir. Lorsque Mike le cascadeur se montre, une poursuite classique se déroule à travers la campagne texane, qui n'avait pas vu ça depuis *Duel* de Spielberg en 1971. C'est la séquence d'action la plus singulièrement efficace que Tarantino n'a jamais tournée.

Tarantino « enlève les guillemets et trouve un parcours à travers sa virtuosité formelle et sa connaissance encyclopédique de l'histoire du cinéma pour revenir à l'essentiel : le personnage, l'action et l'histoire, a écrit A. O. Scott dans le *New York Times. Boulevard de la mort* est un film décidément modeste, assez opportunément, compte tenu de son affichage de second plan, dans un programme double. Mais son ambition réduite fait partie de son charme. »

Boulevard de la mort signerait aussi l'adieu de Tarantino à l'époque contemporaine. Ce poème-action cinétique est aussi un hommage au travail à l'ancienne des cascadeurs, à l'époque, dit Mike, « des vraies voitures se brisant contre de vraies voitures, avec de vraies personnes stupides les conduisant ».

Sa réception le secoue. « C'est comme dans une rupture, quand c'est elle qui part, vous êtes secoué », dit-il, se consolant avec les avis de ses amis Tony Scott et Steven Spielberg. « Une des choses que Spielberg m'a dite et qui était cool, c'est : "Quentin, tu as de la chance. Tu as eu du succès, à un degré ou un autre, à chaque fois. C'est presque comme jouer sans payer. D'accord ? Aujourd'hui, tu payes. Et ça peut faire de toi quelqu'un de plus souple. Et l'autre chose, c'est que si la prochaine fois, ça marche bien, ce sera encore plus agréable, parce que tu as appris ce que ça fait d'avoir de mauvaises cartes." Ma confiance a été ébranlée, et j'ai réagi, du coup, non pas en cherchant un autre travail ni en écrivant quelque chose de nouveau, mais en retournant à *Inglourious Basterds,* un vieux matériel que je savais être bon. Je me suis dit que j'allais le mettre au point maintenant, arrêter de tourner autour et juste le mettre au point. »

« Ma confiance en moi a été un peu ébranlée.
C'est comme dans une rupture, quand c'est
elle qui part, vous êtes forcément secoué. »

INGLOURIOUS BASTERDS

2009

À GAUCHE : Eli Roth est l'un des Basterds, le sergent Donny Donowitz, "l'Ours juif".

« Si je ne n'avais pas pu réaliser *Inglourious Basterds* aussi bien que je pensais qu'il devait être, alors je ne l'aurais pas fait. Mais je savais qu'il fallait que je l'écrive. »

« Ce n'est certes pas le film de guerre de papa », dit Tarantino d'*Inglourious Basterds*, son étourdissant, brutal, kitch et divertissant remix de la Seconde Guerre mondiale, mettant en scène un groupe de soldats juifs américains qui prennent leur revanche sur les nazis. Il commence à écrire le scénario en 1998, juste après *Jackie Brown*. « Je pense que j'y tenais beaucoup, c'était mon premier scénario original depuis *Pulp Fiction*, a-t-il déclaré au *Guardian*. Et il prenait de plus en plus de place dans ma tête. C'étaient des mots sur la page plutôt qu'un film. Ça débordait de mon cerveau. Je ne pouvais pas m'empêcher de chercher de nouveaux cheminements, de nouvelles idées. Et puis tout à coup, ça a été : "C'est quoi ce bordel ? Est-ce que je suis devenu trop grand pour les films ? Les films sont-ils trop petits pour moi ? Je veux dire, ça veut dire quoi, tout ça ? »

Après avoir réalisé *Kill Bill* puis *Boulevard de la mort*, il revient au script qu'il avait posé sur une étagère et se demande si l'histoire ne serait pas mieux servie par une mini-série télé de douze épisodes. Au cours d'un dîner avec le réalisateur et producteur Luc Besson et son partenaire de l'époque Pierre-Ange Le Pogam, il leur parle de l'idée. Besson réagit amicalement du tac au tac : « Je suis désolé, tu es l'un des rares réalisateurs qui me donne envie d'aller au cinéma. Et l'idée que je doive attendre cinq ans pour aller voir ton prochain film est trop déprimante. »

Décidé à ramener l'idée à ce qu'elle était à l'origine, un film de style *Dirty Dozen (Les Douze Salopards)* à propos d'un groupe de gars en mission, il met six mois à réduire son énorme travail à un script de 160 pages, de janvier à juillet 2008. Il réécrit les deux premiers chapitres, après avoir trouvé le personnage de Shosanna, « une vraie dure à cuire, une Jeanne d'Arc des Juifs », très proche de la Mariée. Il en fait davantage une survivante et écrit dans un grand mouvement tout le reste, du chapitre trois à la

fin. Mais il y a un blocage : l'Histoire. Et en particulier que faire du personnage d'Hitler, dont tout le monde sait qu'il n'a pas trouvé une fin horrible entre les mains de chasseurs de scalps américains. Et puis, un jour, après une longue dose d'écriture, il se dit que ses personnages ne savent pas qu'ils font partie de l'Histoire. « J'écoutais de la musique, je tournais en rond et j'ai attrapé un stylo, un morceau de papier et écrit : "Tue-le, putain !" Je l'ai mis près de ma table de chevet pour le voir au réveil le lendemain matin et décider après une nuit de sommeil si c'était encore une bonne idée. Je l'ai vu, je me suis baladé autour un moment et je me suis dit : "Ouais, c'est une bonne idée." Je suis sorti sur le balcon et j'ai commencé à écrire. Et je l'ai tué. Honnêtement, quand j'ai imaginé cette fin, ça a été l'un des moments les plus excitants que j'ai jamais vécus en tant qu'écrivain. J'ai pensé : "On va utiliser les films au nitrate pour incendier le théâtre !" Parce ce que ça fonctionnerait. Et quand cette idée m'est venue, j'ai vécu l'un des plus grands moments d'exaltation de ma vie artistique. J'étais là : "Oh mon Dieu, comment se fait-il que personne n'y ait jamais pensé avant ?" »

EN HAUT :
Martin Wuttke est un Hitler de fiction.

Shosanna (Mélanie Laurent) prépare les films au nitrate pour détruire le cinéma.

 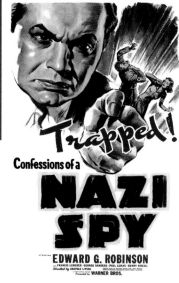 

EN HAUT : Tarantino s'est beaucoup inspiré de films tournés aux États-Unis pendant la Seconde Guerre mondiale.

À DROITE : « Brad explose dans ce rôle. » Tarantino est très satisfait du lieutenant Aldo Raine créé par Brad Pitt.

Même Lawrence Bender est surpris quand Tarantino l'appelle en juillet pour lui annoncer qu'il a terminé la longue phase de gestation du script des *Basterds*. « Il m'a lu toutes sortes de choses sur ce sujet au fil des ans, mais j'avais toujours pensé qu'il ne le réaliserait jamais », a déclaré Bender, qui, depuis que Tarantino a commencé le projet, a vu la Seconde Guerre mondiale devenir un fonds de commerce pour Hollywood : *Saving Private Ryan (Il faut sauver le soldat Ryan)* de Spielberg et *The Thin Red Line (La Ligne rouge)* de Terrence Malick, sortis tous les deux en 1998, suivis par *Band of Brothers (Frères d'armes)*, la mini-série de Tom Hanks et Steven Spielberg pour HBO en 2001. Tarantino veut faire reculer l'horloge de ses références, s'inspirant de films comme *Confessions of a Nazi Spy (Les Aveux d'un espion nazi)* d'Anatole Litvak (1939), *Man Hunt (Chasse à l'homme)* de Fritz Lang (1941), *Reunion in France (Quelque part en France)* de Jules Dassin (1942) et *This Land is Mine (Vivre libre)* de Jean Renoir (1943), des films de propagande dans lesquels vous vous identifiez aux héros et vous applaudissez la mort des nazis.

« Ce qui m'a frappé en voyant ces films, dit Tarantino, c'est qu'ils ont été réalisés pendant la guerre, quand les nazis étaient encore une menace, et ces cinéastes avaient probablement eu des expériences personnelles avec les nazis, ou étaient terriblement inquiets pour leurs familles en Europe. Pourtant, ces films sont divertissants, ils sont drôles, il y a de l'humour en eux. Ils ne sont pas solennels, comme *Defiance (Les Insurgés)*. Ils se permettent d'être des films d'aventures passionnants. »

Il voulait travailler depuis longtemps avec Brad Pitt, qui avait le même agent qu'Uma Thurman. « Pendant que j'écrivais le scénario, je me disais : "Oh, Brad serait bien pour ça" puis "Brad serait sacrément bien pour ça" puis "Brad serait sacrément impressionnant, là" jusqu'à "Bon, maintenant, il faut que je me débrouille pour avoir Brad, parce que sinon, merde, qu'est-ce que je vais faire ?" »

Chez l'acteur dans le Midi, à la fin de l'été, ils font un tour de la propriété en buggy avec les enfants de Pitt, pour voir le vignoble et le studio où Pink Floyd a enregistré *The Wall*, puis ils reparlent du film avec plusieurs bouteilles de vin et du hasch. Aux premières heures de la matinée du lendemain, Quentin finit par retourner dans sa chambre avec un morceau de hasch coupé par Brad et un gobelet de Coca comme pipe. « Tout ce que je sais, c'est que nous avons parlé de la trame de fond, a déclaré Pitt. Nous avons parlé de films toute la nuit et quand je me suis levé le lendemain matin, j'ai trouvé cinq bouteilles de vin vides gisant sur le sol, cinq ! Et quelque chose qui ressemblait à un appareil à fumer, je ne sais pas ce que c'était. Apparemment, j'avais accepté

de faire le film et six semaines plus tard, j'étais en uniforme. »

Pour répondre à l'accélération du calendrier de production qui devait leur permettre d'être prêts pour le Festival de Cannes 2009, le reste de la distribution est rapidement assemblé. Initialement, le réalisateur avait Leonardo DiCaprio à l'esprit pour le rôle pivot de Hans Landa. Fan de l'écriture de Tarantino, il est parmi les premiers à recevoir une copie de ses scripts. Pour Tarantino, il a « envie de jouer le rôle », mais il a besoin de quelqu'un avec des compétences linguistiques en Allemand.

Insistant pour que chacun parle la langue maternelle de son personnage, Tarantino veut avant tout éviter des Allemands parlant l'Anglais de la Royal Shakespeare Company. Il veut des accents. Il auditionne de nombreux acteurs pour le rôle, mais aucun ne fonctionne vraiment. Comme l'horloge tourne, il pense qu'il a peut-être écrit un rôle injouable. « J'étais inquiet. À moins que je ne trouve rapidement le Landa parfait, j'allais devoir tirer un trait sur le film. Je me suis donné une semaine de plus avant de décrocher. Et puis Christoph Waltz est arrivé et il était évident qu'il était celui qu'il fallait. Il pouvait tout faire. Il était incroyable, il nous a redonné notre film. »

Né à Vienne dans une famille du milieu théâtral, Waltz est un acteur de seconds rôles, qui travaille principalement pour la télévision en Allemagne, jouant des méchants ou interprétant Friedrich Nietzsche dans *Richard et Cosima*, une coproduction franco-allemande sur la vie de Richard Wagner, mais on ne lui a jamais proposé rien de tel que le scénario de Tarantino.

« Je me suis complètement jeté dessus » dit-il des cinq chapitres géants remplis de longues conversations sinueuses, avec des fautes d'orthographe : *Basterds* pour *Bastards*, *Bostin* pour *Boston*, *there knee's* pour *their knees*, et sous le titre griffonné à la main, les mots *Last Draft* (dernier état). Il parcourt l'ensemble du script lors de sa première audition à Berlin, puis dit au directeur de casting : « "Vous savez, si cela se fait, ça aura été bien plus que juste utile. Je vous remercie !" Et quand Quentin m'a rappelé pour une deuxième audition, j'ai dit : "Je me sens exactement le même, mais juste deux fois mieux maintenant." Et quelques jours plus tard, j'ai reçu l'appel. »

Une fois son Landa choisi, Tarantino commence tout de suite le tournage au studio Babelsberg à Potsdam, en Allemagne, avant de déménager pour Paris, où il réquisitionne un bistrot de 1904 à la peinture écaillée, avec des vitraux Art Déco et un mur de fenêtres donnant sur une intersection de rues parisiennes du 18e arrondissement, pour la scène dans laquelle Landa et Shosanna (Mélanie Laurent) – chasseur et chassée – voient leurs chemins se recroiser.

À GAUCHE : « Il nous a redonné notre film. » Christoph Waltz est parfait dans le rôle du méchant, Hans Landa, et remporte l'Oscar du meilleur second rôle 2010.

EN BAS : Le tournage dans un bistrot parisien.

« C'était un gros film, nous avions un bon rythme. Eh bien, ça a rendu les choses plus difficiles. Peut-être que c'était un peu moins amusant, parce qu'il y avait beaucoup de pression. Mais j'espérais que toute cette énergie se diffuse dans le film... »

À GAUCHE : Til Schweiger, le sombre sergent Hugo Stiglitz, qui a déserté la Wehrmacht aidé des Basterds.

EN HAUT : le trop poli Landa intimide Charlotte LaPadite (Léa Seydoux) et ses sœurs, dans la séquence d'ouverture.

À DROITE EN HAUT : Tarantino a montré *Dark of the Sun* (*Le Dernier Train du Katanga*) à son équipe, pour qu'ils s'en inspirent dans la scène finale.

À DROITE : Le directeur de la photo Robert Richardson prépare une scène dans la cave de la taverne.

Tarantino travaille en étroite collaboration avec Waltz, l'empêchant de répéter beaucoup avec les autres acteurs, pour qu'ils ne se sentent pas trop à l'aise avec lui. « Il voulait cette insécurité chez eux », dit Waltz, qui avance dans le script, page par page, avec le réalisateur, pour construire son personnage à partir de zéro. « Qu'est-ce que tu en penses, Christoph ? lui demande Tarantino lors d'un dîner en Allemagne. Le script dit que tu fumes la pipe et que c'est une calabash, mais peut-être que tu ne fumes pas vraiment la pipe. Peut-être que tu l'utilises comme un accessoire de cinéma pour ton interrogatoire de Perrier LaPadite (Denis Ménochet). Tu as appris qu'il fume la pipe, alors tu as acheté cette pipe juste avant d'y aller. C'est la pipe de Sherlock Holmes, et au bon moment de l'interrogatoire, tu la sors, comme pour lui dire : "Je vais te baiser." » Waltz lui répond : « Oh, oui, c'est tout à fait ça ! Je ne fume pas la pipe ! »

Chaque jeudi, ils ont droit à une soirée cinéma. Eli Roth se souvient qu'ils ont regardé un obscur film d'action de 1968, *Dark of the Sun* (*Le Dernier Train du Katanga*), dans lequel un bar brûle sous le feu d'une mitrailleuse. Quatre mois plus tard, pendant le tournage de la séquence paroxystique, «il y avait un mouvement de caméra, et sa seule consigne pour moi a été : *"Dark of the Sun!"* Et je savais exactement ce qu'il voulait dire. Ce n'était pas de la frime, c'était bien l'état d'esprit, le ressenti, et nous avons compris que c'était ce qu'on recherchait.» Brad Pitt a déclaré : «Quentin est le plus grand spécialiste du cinéma que vous puissiez rencontrer et il infuse sa connaissance dans le travail de chaque jour. Mais le plateau est une église. Il est Dieu, son scénario est la Bible et les hérétiques ne sont pas admis.»

Mélanie Laurent s'est risquée à discuter une ligne du scénario : «J'avais une expression à dire, qui était vraiment improbable en Français, raconte-t-elle. Je lui ai dit, mais il n'y avait pas de négociation possible. Il m'a répondu : "Nous pouvons inventer. Qui peut dire que nous ne pouvons pas inventer de nouvelles expressions ?" Il aime certains sons.

Il aime certains mots en Français et il veut les entendre.»

Bousculés pour tenir leur échéance de mai, le Festival de Cannes, Tarantino et la monteuse, Sally Menke, ont dû renoncer à leur projection test habituelle. Certaines séquences tout à fait judicieuses ont été coupées du film, y compris la scène où le personnage de Michael Fassbender (le lieutenant Archie Hicox) rencontre les Basterds. Les personnages joués par Maggie Cheung et Cloris Leachman ont carrément disparu. «On était faits comme des rats, dit Sally Menke. Nous avons littéralement couru derrière le temps, en particulier avec certains moments de Shosanna, où nous savions que nous n'avions pas tout à fait raison.» Quand la première vague de critiques, pour la plupart négatives, est arrivée, «nous savions déjà que nous allions remettre dans le film certaines choses et reprendre certaines scènes, donc ce n'était pas une surprise. On se disait :

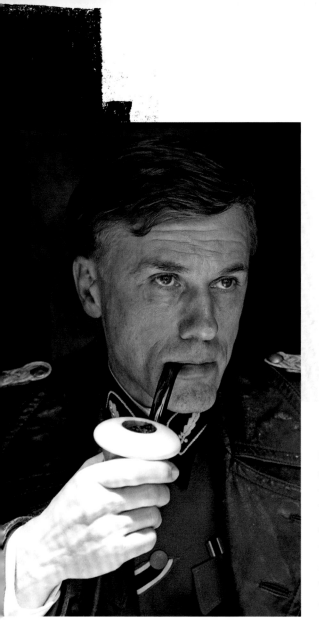

PAGES PRÉCÉDENTES ET À DROITE :
Perrier LaPadite (Denis Ménochet)
reste calme face à l'interrogatoire
du terrible Hans Landa.

EN HAUT : Tarantino amène un
bref interlude comique à la scène,
avec la pipe calabash à l'énorme
foyer que Landa tire de sa poche
façon Sherlock Holmes.

"OK, revenons de France ! Allons faire ce travail, parce que nous sortons bientôt !"» Travaillant sous la menace de l'horloge pour terminer le film à temps pour sa sortie en septembre, même Tarantino semble épuisé. «Je ne sais pas si je suis prêt à travailler à nouveau aussi vite sur un travail aussi important qu'un film. Pourtant, nous avons toujours mieux travaillé avec une certaine forme de pression, mais on peut trop facilement déconner avec un film. On aime décider vite, genre "On y va comme ça et c'est tout." Bam !»

Inglourious Basterds commence par le meilleur jeu du chat et de la souris de l'œuvre de Tarantino depuis la discussion sur les Siciliens de Dennis Hopper et Christopher Walken dans *True Romance*. Dans la salle commune un peu étouffante d'une ferme, il construit une merveille de mouvements de caméra soigneusement chorégraphiés et de performances d'acteurs bien coordonnés. Une patrouille SS, dirigée par le colonel Hans Landa (Christoph Waltz), interroge un agriculteur français sur une famille de Juifs qu'il suspecte d'être cachée chez lui. Landa est poli, limite flatteur, et Tarantino augmente la tension progressivement, la caméra tournant autour de Landa et du fermier comme un nœud coulant toujours plus serré, avant de se glisser sous le plancher pour montrer les membres de la famille juive terrifiés, les mains sur la bouche et les yeux exorbités de peur. L'interrogatoire se poursuit,

la bonhomie du bavardage de Landa ne fait qu'accentuer la tension mortelle de la scène, que Tarantino ponctue d'un gag visuel : après avoir demandé à l'agriculteur s'il peut fumer, Landa sort de sa poche une improbable énorme pipe calabash au foyer si comiquement grand qu'il ne serait pas déplacé dans l'un des *Naked Gun* (*Y a-t-il un flic…*). Ou dans une peinture de Magritte. Ou dans les deux.

Bienvenue dans le monde étrange, sens dessus dessous, des films récents de Tarantino : un univers original plein d'humour burlesque, d'immense cruauté et de revanche fantasmée. Avec son bavardage multilingual, il est à mille lieues, à la fois géographiquement et historiquement, de l'univers personnel de Tarantino qui se montre moins dans les solécismes détectés par Mélanie Laurent que dans l'épaisse fourrure de références cinématographiques dans laquelle Tarantino enveloppe son film.

Son impulsion initiale d'écrire un film sur des hommes-en-mission style *Douze Salopards* dévisse rapidement en cinq chapitres différents, chacun faisant sa fête au cinéma. Dans le premier chapitre, nous faisons connaissance avec les Basterds, dirigés par le lieutenant Aldo Raine (Brad Pitt), un plouc du Kentucky mal dégrossi à la mâchoire saillante. Son équipe, une sorte de *Douze Salopards* constituée de huit juifs, est parachutée derrière les lignes ennemies pour

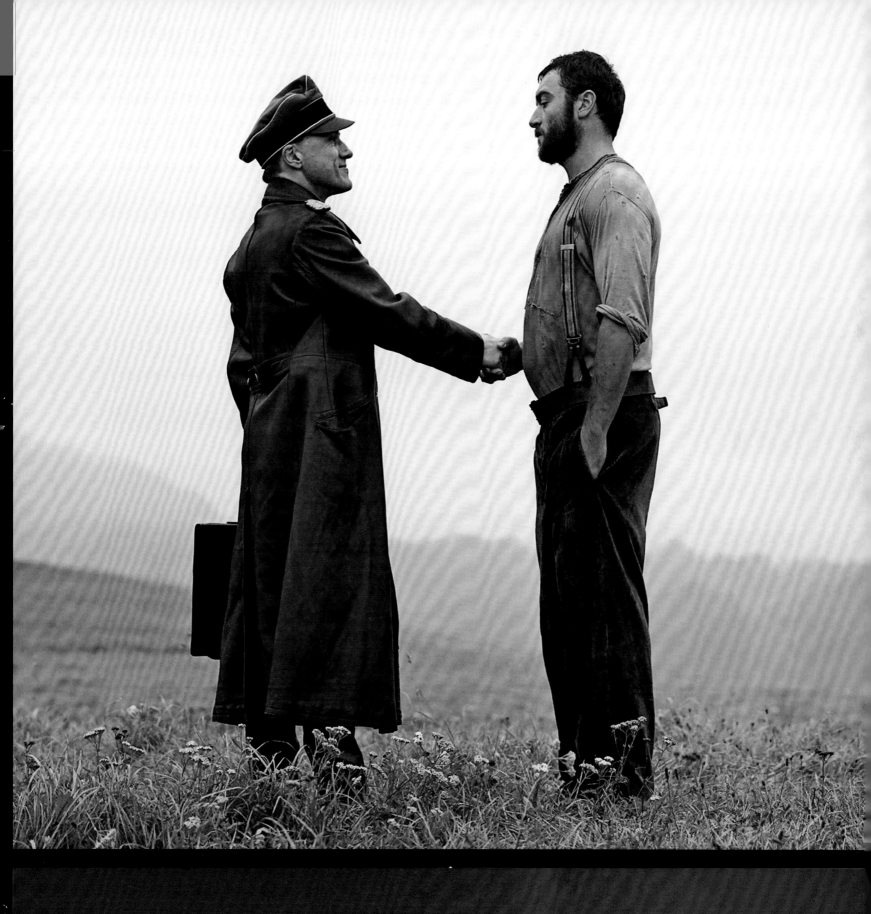

« J'ai essayé de réaliser un western spaghetti avec
l'iconographie de la Seconde Guerre mondiale. »

semer la terreur en torturant et tuant, puis en scalpant les nazis. « Très franchement, dit Raine à l'une de ses victimes, regarder Donny battre un nazi à mort, c'est ce que nous avons de plus proche d'une séance de cinéma. » Dans un autre chapitre, une star du cinéma allemand, Bridget von Hammersmark (Diane Kruger) complote contre Hitler avec un commando anglais où on retrouve un critique de cinéma (Michael Fassbender) à la Graham Greene, qui tente de se faire passer pour un officier SS. Dans un casting de pur style "camp", Mike Myers joue le général qui lui assigne sa mission.

Dans le troisième chapitre, le plus convaincant, « *Nuit d'Allemagne à Paris* », Shosanna (Mélanie Laurent), la Juive française qui a échappé à Landa dans le premier chapitre, est devenue propriétaire d'un cinéma à Paris. Elle retrouve Landa dans un restaurant où il est venu déguster un strudel. Hypnotisant sa proie en clignant de l'œil, avec un sourire géant et un charme onctueux (« N'oubliez pas la crème »), Waltz torture son texte avec un goût exquis, tirant sur chaque syllabe jusqu'à ce qu'elle tombe sur les genoux de l'auditoire.

La performance est brechtienne : Hans Landa n'est pas tant un personnage que le maître des divertissements et le sadique-en-chef, presque une forme de metteur en scène, trônant au-dessus des autres personnages, pas seulement le meilleur, mais à peu près le seul. « Le plaisir que nous donne Landa crée un déséquilibre étrange dans le film, écrit Manohla Dargis dans le *New York Times*. L'échec le plus flagrant du film – la vertigineuse, parfois jubilatoire, élévation narrative du méchant nazi séduisant et l'attraction

qu'il suscite – peut en grande partie être expliqué par un problème de forme. Landa n'a tout simplement pas d'égal dans le film, pas de contrepartie qui puisse lui correspondre dans la dextérité verbale et le charisme, qui soit son Jules Winnfield ou sa Mia Wallace, comme Samuel Jackson ou Uma Thurman pour le Vincent Vega de John Travolta dans *Pulp Fiction*. »

Son travail a toujours mis en avant ces figures de tyrans génialement sadiques, flibustiers des films dans lesquels ils apparaissent, mais, dans la partie la plus récente de la carrière de Tarantino, ils deviennent dominants, poussant tout le monde de côté : Hans Landa dans *Inglourious Basterds*, Calvin Candie dans *Django Unchained*, le Major Marquis Warren dans *The Hateful Eight (Les Huit Salopards)*, un film composé uniquement des personnages créés par le réalisateur, chacun mettant en scène sa propre version des événements.

Dans *Basterds*, Brad Pitt se coule confortablement dans un personnage qui agit

PAGES PRÉCÉDENTES : Après les avoir tuées, Raine et Donowitz scalpent leurs victimes nazies.

EN BAS : Shosanna accueille les dignitaires nazis dans son cinéma avant d'exercer sa vengeance finale.

PAGE DE GAUCHE EN HAUT : Landa veut passer un accord avec les Basterds.

PAGE DE GAUCHE EN BAS :
Le casting comprend Mike Myers en général anglais stéréotypé (à gauche).

Les agents secrets britanniques Hicox (Michael Fassbender), un critique de cinéma, et Bridget von Hammersmark (Diane Kruger), une actrice allemande, doivent participer à un jeu de société avec des officiers SS (à droite).

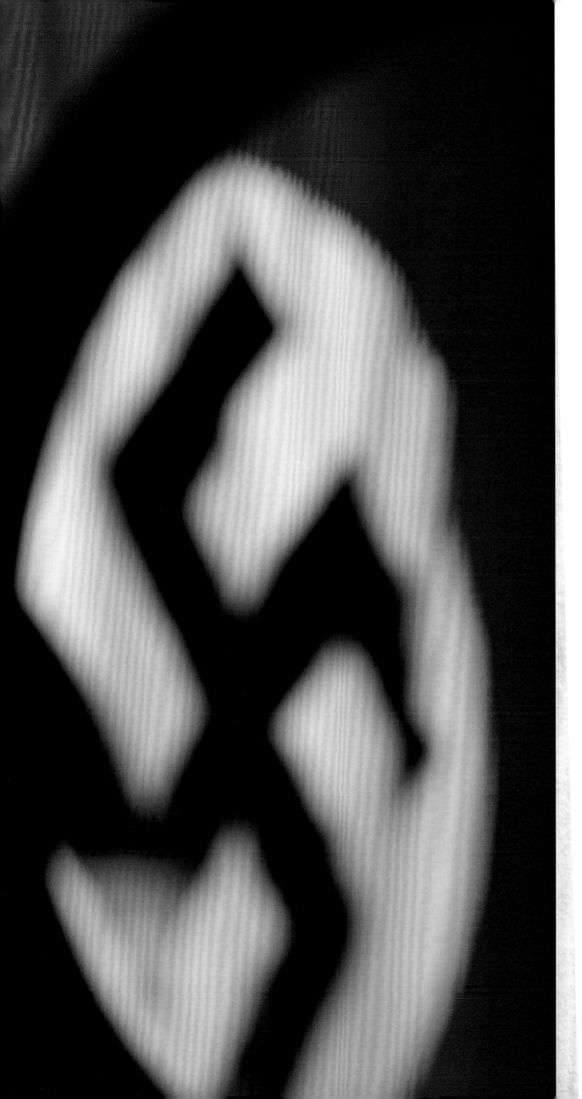

À GAUCHE : Avec ses peintures de guerre, Shosanna prépare sa revanche.

mécaniquement, se contentant d'arrondir ses voyelles aromatisées à l'accent du Sud autour d'une chique de tabac. Il n'est pas un challenger pour le polyglotte Landa, qui prononce des discours entiers dans le temps qu'il faut à Raine pour lâcher une seule syllabe. Le film se développe ensuite plus finement, le plan de Shosanna et la mission des *Basterds* se rencontrant dans le dernier chapitre, « Vengeance en très gros plan », dans lequel les *Basterds* pulvérisent les chefs nazis à la mitrailleuse sur fond de *Cat People* de David Bowie dans le cinéma Art déco de Shosanna, avant que toute la salle ne disparaisse dans un brasier de nitrate. Quand la fumée se dissipe, il ne reste pas grand-chose. Le paroxysme du chapitre est curieusement en apesanteur, ce gros plan du visage de Mélanie Laurent projeté sur un rideau de fumée, dans un écho infernal au *Cinema Paradiso* de Giuseppe Tornatore, est l'une des images les plus obsédantes du film.

Avec comme héros un critique de cinéma et un projectionniste, des clins d'œil visuels à *The Searchers (La Prisonnière du désert)* de 1956, des noms références à des stars des films de série B (Aldo Raine pour Aldo Ray et Hugo Stiglitz entre autres), d'innombrables références à la UFA, à G. W. Pabst et à Leni Riefenstahl et aussi à une réplique présentant *King Kong* comme "l'histoire des nègres en Amérique", ce film est sans conteste le plus consciemment cinéma-cinéma de Tarantino, une véritable ode à la cinéphilie.

« En un sens, *Inglourious Basterds* est une forme de science-fiction, écrit J. Hoberman dans

« Quand j'ai imaginé cette fin, ça a été l'un de mes moments d'inspiration les plus excitants en tant qu'auteur. »

le *Village Voice*. Tout se déroule à l'intérieur et trace la carte d'un autre univers : celui des films. » On pourrait faire valoir que tous ses films décrivent cet univers, mais quand les personnages de *Reservoir Dogs* discutent de leurs noms, vous n'avez pas besoin d'avoir vu *The Taking of Pelham 123 (Les Pirates du métro)* pour apprécier la plaisanterie. Quand il a écrit *Pulp Fiction*, Tarantino a pris soin de faire appel à des standards du cinéma familiers au grand public, pillant la banque des films de série B pour le charme des croisements. Au fur et à mesure que sa carrière progresse, il regarde moins par-dessus son épaule, lançant une série de descentes vertigineuses dans le terrier du lapin d'Alice. « Cette fois, il a tiré la porte des archives du cinéma derrière lui, a déclaré David Denby du *New Yorker*. Il n'y a guère de lumière montrant que le monde existe en dehors du cinéma sauf comme base d'une fable insensée. »

Les critiques sont aussi confus que le film. Certains critiques mordent à l'appât et méprennent ce film pour un film sur la Seconde Guerre mondiale, plutôt que sur les films de la Seconde Guerre mondiale. Jonathan Rosenbaum écrit que le film « semble moralement proche de la négation de l'Holocauste » et que Tarantino est « devenu l'équivalent cinématographique de Sarah Palin, avec ses fantasmes de jury de la mort (que l'Obamacare était, pour Palin, censé mettre en place – NdT) et tout le reste ». Waouh !

Dans sa critique (une étoile) du *Guardian*, Peter Bradshaw décrit le film comme « un colossal, complaisant, ratage verbeux, une gigantesque chute de deux heures et demie ». Le *New York Times* le trouve « lourd », « interminable », « repoussant » et « vulgaire ». Stephanie Zacharek, dans *Salon*, conclut avec plus de précision : « Tarantino fait un énorme bond et réalise un film qui ne fonctionne pas complètement, et qui met

ceux d'entre nous qui aiment son travail, comme ceux qui le haïssent ou ceux qui entretiennent une relation d'amour-haine avec lui, ce qui devrait couvrir à peu près tout le monde, face à une question bien embrouillée : est-ce que nous applaudissons le saut, ou est-ce que nous brandissons les poings au résultat ? »

La réaction critique la plus intéressante, et de loin, est venue d'Allemagne, où la réception du film a été marquée par une sorte de catharsis dans la culture populaire. Dans le *Frankfurter Allgemeine Zeitung,* Claudius Seidl exprime sa joie d'avoir vu un film « qui présente la chute [du Troisième Reich] non comme une tragédie, mais comme une farce », notant que « lors de la première d'*Inglourious Basterds* à Berlin, après une scène particulièrement agressive dans laquelle Christoph Waltz joue le SS Hans Landa, un assassin de la vieille école,

sadique et intellectuellement moyen, des applaudissements spontanés ont éclaté. » Dans sa critique, le quotidien *Tagesspiegel* de Berlin écrit qu'*Inglourious Basterds* « n'est ni "camp" ni "pulp" – vous passez à côté de Tarantino avec ces catégories – mais plutôt une vision jamais vue dans le monde presque épuisé des images cinématographiques », ajoutant que le film offre « Catharsis ! Oxygène ! Magnifique démence rétro-futuriste de l'imagination ! » À propos de la scène finale, dans laquelle Hitler, Goebbels et compagnie sont calcinés dans un cinéma parisien, le journaliste de *Die Zeit* dit simplement : « Hourra ! Ils ont brûlé ! »

Le succès du film en France est comparable à celui de *Pulp Fiction,* avec 2 800 000 entrées. Il est le film de Tarantino qui a rapporté, jusque-là, le plus, avec 321 millions de dollars pour un coût de production de 70 millions.

À GAUCHE : Shosanna (Mélanie Laurent) donne à sa vengeance un aspect très cinématographique.

EN HAUT : Deux des Basterds, Donowitz (Eli Roth) et Omar Ulmer (Omar Doom) jouent le rôle de réalisateurs italiens pour entrer dans le cinéma et tuer Hitler et Goebbels.

DJANGO UNCHAINED

2012

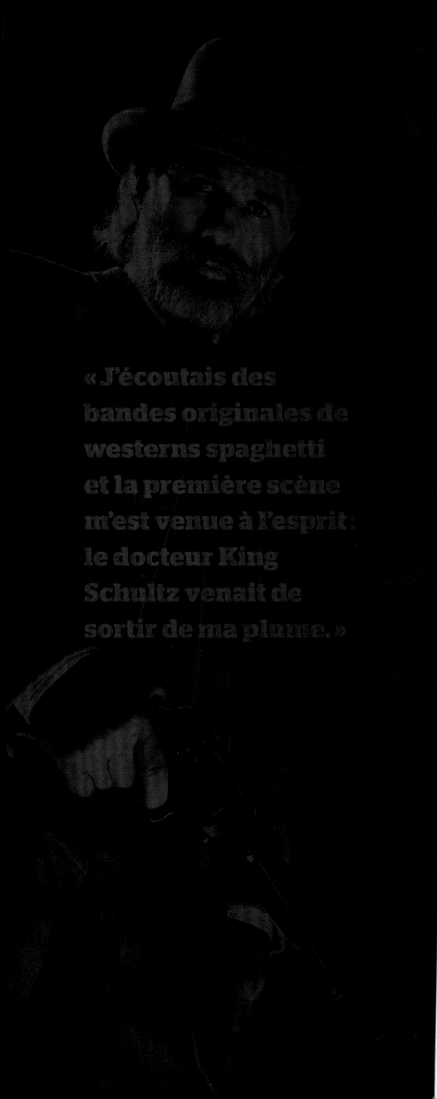

À GAUCHE: Après leur fructueuse collaboration sur *Inglourious Basterds*, Tarantino donne à Christoph Waltz le rôle de l'énigmatique mais volubile chasseur de primes, le Dr. King Schultz.

À DROITE: Jamie Foxx, dans le rôle titre, prend une pose qui rappelle l'affiche (à gauche) du *Django* de Sergio Corbucci (1966).

« J'écoutais des bandes originales de westerns spaghetti et la première scène m'est venue à l'esprit : le docteur King Schultz venait de sortir de ma plume. »

Profitant d'un jour de liberté à la fin de la tournée promotionnelle d'*Inglorious Basterds* au Japon, Tarantino entre dans un magasin de disques et y trouve une mine d'or: des bandes originales de westerns spaghetti. Le pays avait connu une résurgence énorme de l'intérêt pour le genre. Il pensait déjà à Sergio Corbucci, un critique de cinéma qui a dirigé un certain nombre de westerns spaghetti dans les années 1960, notamment *Django*, un film ultra-violent (1966), avec Franco Nero en vagabond qui cherche à venger la mort de sa femme.

« J'étais en train d'écrire sur Corbucci et de décrire son style de western » dit Tarantino, qui retourne à son hôtel avec ses disques de bandes originales. « J'avais dans ma tête toutes ces images de Corbucci, j'écoutais ces bandes originales de westerns spaghetti et la première scène m'est venue à l'esprit : le docteur King Schultz venait de sortir de ma plume. »

La première séquence de *Django Unchained* est déjà plus ou moins écrite : deux marchands d'esclaves blancs traînent cinq esclaves noirs enchaînés à travers les bois du Texas par une nuit glaciale. De l'obscurité sort le Dr King Schultz, un chasseur de primes allemand se présentant comme dentiste qui annonce son intention d'acquérir l'un des esclaves, Django, une sorte de Paul Bunyan ou de Pecos Bill noir (figures légendaires du folklore américain, l'un bûcheron, l'autre cow-boy – NdT). Django est libéré, sauve sa femme de l'esclavage et devient un ange de la vengeance noire, tuant des Blancs en se faisant payer pour ça. À la base, c'est une sorte d'histoire des origines d'un super-héros.

« Il n'y a pas eu beaucoup de films sur l'esclavage au cours des quarante dernières années et ceux qui ont été réalisés étaient des

« J'ai eu la chance de pouvoir créer un personnage d'esclave avec un parcours héroïque, de pouvoir en faire un héros et lui donner sa revanche, montrer son parcours de manière épique, dans le style de récit populaire qu'il mérite. »

films d'histoire avec un grand H, pour la télévision, note Tarantino. Et ça finit par devenir assommant, parce que vous ne voyez que de la victimisation. Et là, vous avez la chance de pouvoir amener un regard neuf, en créant un personnage d'esclave héroïque, lui donner sa revanche, montrer son parcours de manière épique, dans le style de conte folklorique qu'il mérite, sur le genre de grande scène d'opéra qu'il mérite. »

Sa première impulsion est de montrer sa transformation à partir du chemin tracé au début du film, puis de sauter des années plus tard, « après la guerre de Sécession, par exemple ». Mais en fait, il veut faire une pause dans le style de récit à la temporalité déstructurée auquel son image est associée, et puis il aime trop l'histoire de l'origine de Django. Il a envie de suivre le personnage du début à la fin de sa transformation. Armé de cette première scène, Tarantino revient à Los Angeles et se met à travailler sur le balcon de sa chambre, en tapant à un doigt sur sa machine à écrire Smith Corona.

Fin avril 2011, il invite chez lui des amis, parmi lesquels Samuel L. Jackson, pour leur présenter ce qu'il appelle son « roman » de 166 pages. Il a pensé à Jackson pour jouer Django, mais l'acteur est, à 62 ans, un peu trop vieux pour le rôle et il lui attribue le rôle du fidèle Stephen, « le nègre le plus méprisable de l'histoire du cinéma », selon l'acteur qui apprécie le défi, juste après avoir joué sur Broadway l'un des plus aimés, Martin Luther King. Pour son Django, Tarantino a rencontré Will Smith pendant le tournage à New York de *Men in Black 3*. Ils se sont penchés sur le script mais Will Smith n'était pas 100 % sûr d'en avoir envie ni de pouvoir le caler dans son planning. « Laisse-moi le temps de voir comment je le ressens et, si tu ne trouves personne, parlons-en à nouveau », dit-il au réalisateur.

Tarantino rencontre six autres acteurs : Idris Elba, Chris Tucker, M. K. Williams, Terrence Howard, le chanteur Tyrese et enfin Jamie Foxx, face à qui il réalise qu'il n'aura pas à se tracasser pour qu'il trouve le bon style. « Jamie a compris l'idée, dit Tarantino. Mais surtout, c'est un cow-boy. Il a son propre cheval, c'est réellement son cheval qu'on voit dans le film. Il vient du Texas, il comprend. Nous étions là, en train de parler,

et je me suis rendu compte – Waouh ! – que si on était encore dans les années 1960 et que je faisais un Django pour la télévision et qu'il y avait eu des mecs noirs comme stars dans les années 1960, j'aurais pu y voir Jamie. Et c'est ce que je cherchais, un Clint Eastwood. » Nerveux, Jamie Foxx demande à ses représentants de contacter Samuel Jackson pour savoir ce qu'il pense du rôle de Django. « À la fin, tout ce que je pouvais leur dire, c'est que c'était Quentin Tarantino, d'abord, a déclaré Jackson, ensuite, qu'il y a 10 ou 15 ans, nous n'aurions même pas cette conversation parce que j'aurais déjà pris le rôle, et que s'ils avaient besoin d'en savoir plus, ils appelaient la mauvaise personne. »

Après avoir raté le rôle de Hans Landa dans *Inglourious Basterds*, Leonardo DiCaprio appelle le réalisateur pour lui dire combien il aime le rôle du propriétaire de la plantation, Calvin Candie. « Je lui ai écrit, raconte Tarantino, que c'est un homme beaucoup plus âgé, alors nous nous sommes assis ensemble et nous avons parlé et je suis rentré en me demandant : "Est-ce que ça peut fonctionner avec un personnage plus jeune ? Qu'est-ce que je perds et qu'est-ce que je gagne en changeant ça ?" Ce n'était pas un calcul habituel, c'est normalement le travail de l'acteur de s'adapter et d'entrer dans le personnage. » Mais le réalisateur est séduit par l'idée. « Tout d'un coup, j'ai pensé à un ennuyeux et pétulant

EN HAUT : Donnant le ton du film, les premières scènes, brutales, renversent le status quo, avec des esclaves qui prennent leur revanche sur leur propriétaire.

À GAUCHE : Tarantino a trouvé son Clint Eastwood en la personne du vrai cow-boy Jamie Foxx.

empereur-enfant – Caligula, Louis XIV – dont le père du père de son père aurait été l'homme du coton. Ce serait un riche oisif, un riche décadent. » Lisant le scénario, DiCaprio tente d'exprimer quelques inquiétudes, comme le raconte Tarantino : « Il me disait : "Est-ce que je dois vraiment dire ça plusieurs fois ? Et je dois dire "nègre" comme…

– Ouais, tu dois le faire.

– Eh bien, est-ce qu'il y a un moyen de…

– Non, tu peux pas."

Parce que c'est comme ça. C'est la réalité de la façon dont ça marche. Donc, une fois qu'il s'est rendu compte que vous êtes ou entièrement dedans ou entièrement dehors, il est rentré chez lui et le lendemain, il était entièrement dedans. »

Depuis longtemps, Tarantino a l'habitude de montrer des dizaines de films aux créatifs de la production, pour les aider à s'imprégner de l'univers qu'ils vont créer. Pour *Django Unchained*, Robert Richardson, le directeur de la photographie, se rappelle avoir vu *Il grande silenzio* (*Le Grand Silence*) de Sergio Corbucci, *Suspiria* de Dario Argento, *Non si sevizia un paperino* (*La Longue Nuit de l'exorcisme*) de Lucio Fulci, *La Maschera del demonio* (*Le Masque du démon*) de Mario Bava, *Madame de…* de Max Ophüls, *Carrie* (*Carrie au bal du diable*) de Brian De Palma, *Per qualche dollaro in più* (*Et pour quelques dollars de plus*) de Sergio Leone et *Rio Bravo* de Howard Hawks. « Pour les extérieurs, c'est Sergio Leone et Sergio Corbucci », dit-il à Richardson, avec plus d'improvisation dans l'élaboration des plans sur *Django* que dans leurs précédentes collaborations, où il fournissait chaque matin une liste manuscrite des plans à tourner. « En intérieur, surtout dans le manoir de Candie, c'est Max Ophüls. »

Le tournage commence la dernière semaine de novembre 2011, à Lone Pine, Californie, avant de se continuer à Jackson Hole, dans le Wyoming et en Louisiane, et dure jusqu'au 24 juillet 2012. Un très long tournage. « Nous tournons ce film éternellement », a déclaré Samuel L. Jackson. Les heures passées dans une boîte surchauffée, un sauna de métal de la taille d'un cercueil, avec des mille-pattes et des vers, donnent des cauchemars à Kerry Washington. Dans son

EN HAUT ET À GAUCHE : Après avoir manqué un rôle dans *Inglourious Basterds*, Leonardo DiCaprio est très heureux de camper enfin un personnage de Tarantino, l'odieux planteur raciste Calvin Candie.

PAGES PRÉCÉDENTES : Schultz explique à Django son métier de chasseur de primes : « Comme l'esclavage, c'est de la chair contre de l'argent. »

EN HAUT :
Billy Crash (Walton Goggins), un vrai méchant comme Tarantino sait si bien les construire.

Les westerns qu'aime Tarantino ont eu une grande influence sur le film, notamment *Et pour quelques dollars de plus* de Sergio Leone (1965), avec Clint Eastwood.

À DROITE : La mise au point d'un gros plan.

monologue paroxystique, une diatribe inspirée par un livre de phrénologie raciste de l'époque de la Guerre de Sécession tiré de la collection de l'acteur, DiCaprio casse sa voix à plusieurs reprises, et à la sixième prise, en frappant la table, brise accidentellement un verre et s'ouvre la main. Foxx se fait très mal au dos. En répétition, des abeilles effraient le cheval de Waltz, qui l'éjecte, blessant l'acteur au bassin et le mettant hors d'action pendant deux mois et demi. Le nord de la Californie connaît cette année-là un mois de décembre sans neige pour la première fois en 100 ans, forçant Tarantino à déplacer le plateau au Wyoming, y perdant plusieurs acteurs : Joseph Gordon-Levitt, Anthony LaPaglia, Kevin Costner et son remplaçant Kurt Russell, remplacé à son tour par Walton Goggins fin mars.

« Faire ce film a été vraiment dur, dit Tarantino. Quand vous réalisez une épopée et que vous passez des mois et des mois avec une armée de personnes dans le froid extrême et la chaleur, la chose la plus difficile est de se rappeler pourquoi vous avez voulu le faire en premier lieu. Il est facile de se perdre. » Les Weinstein, producteurs du film, visent une sortie à Noël, pour qu'il soit sélectionnable aux Oscars 2012. « À un certain moment du processus, nous avons dû prendre une décision, a déclaré Tarantino. Avons-nous un film "oscarisable" ou non ? Et nous avons tous pensé que nous l'avions. »

La postproduction est réduite à quatre mois et compliquée par le fait que, pour la première fois, Tarantino termine un film sans la chef monteuse Sally Menke, morte d'une insolation lors d'une randonnée dans Griffith Park peu après la sortie d'*Inglorious Basterds*.

Il travaille avec Fred Raskin, qui commence le montage alors que Tarantino tourne encore, produisant un premier montage d'un peu moins de quatre heures et demie. « La méthode de travail de Quentin consiste à filmer tout le scénario et à le faire fondre jusqu'à l'essentiel au montage », a déclaré Raskin qui lutte pour réduire trois scènes majeures : la lutte mandingue, la scène du chien et la scène de presque castration dans la grange. « Même si le film a vraiment bien marché dans les projections tests, les gens étaient un peu traumatisés. Ils applaudissaient à la fin,

mais ce n'était pas toute la salle qui éclatait en applaudissements. »

Le réalisateur doit négocier avec les Weinstein pour obtenir trois semaines supplémentaires afin de tourner de nouvelles séquences. En échange, Tarantino accepte de renoncer à une partie de sa participation aux bénéfices. Le budget final est estimé à 83 millions de dollars, ce qui en fait le film le plus cher de Tarantino.

La fusillade est l'un des ajouts les plus coûteux. Dans le script original, Schultz tue Candie, Butch Pooch tue Schultz, Django se rend et on passe à la scène dans la grange. « Mais le film chutait à ce moment-là, explique Raskin, alors Quentin l'a ramené vers l'essentiel : Django résiste et flingue. »

Compagnon, en quelque sorte, d'*Inglorious Basterds*, *Django Unchained* continue l'exploration des styles des films de série B comme du thème de la vengeance, qui finit par dominer de manière monomaniaque le cinéma de Tarantino depuis *Kill Bill*. La vengeance semble être la seule émotion assez musclée pour maintenir à un niveau élevé ses arabesques de genre, même si elle amène aussi l'écriture de Tarantino à des prouesses de verbiage qui poussent le film vers trois heures un peu lourdes, avec des résultats inégaux. Le tissu de paroles s'élargit et se renfonce jusqu'au point de rupture.

Comme dans une grande partie de son travail récent, on a vraiment deux films en un. Le premier est une sorte de western situé dans le sud des États-Unis en 1858, où un chasseur de primes arrivé d'Allemagne, King Schultz (Christoph Waltz), beau parleur à la barbe fournie et à la rhétorique fleurie, récupère un esclave, Django (Jamie Foxx), qui peut l'aider à trouver trois frères recherchés, pour lesquels il peut espérer une belle prime. D'abord entrevu enchaîné et en haillons par une froide nuit du Texas, Django est bientôt rhabillé, aussi rutilant que l'enfant bleu du tableau de Gainsborough (*The Blue Boy*), posant comme valet de Schultz, tout en dispensant une rude justice aux esclavagistes. « Tuer des Blancs pour de l'argent… Quoi de mieux ? »

Pour dire les choses autrement, on a un Tarantino multiracial, mettant en vedette deux potes, un personnage silencieux et l'autre volubile. Quoi de mieux ? Il y a longtemps que

« Faire ce film a été vraiment dur. À un certain moment, nous avons dû prendre une décision: avons-nous un film "oscarisable" ou non? Et nous avons tous pensé que nous l'avions. »

PAGES PRÉCÉDENTES : Stephen (Samuel L. Jackson), « le nègre le plus méprisable de l'histoire du cinéma », cherche la relation entre Broomhilda (Kerry Washington) et les invités de son maître.

À GAUCHE : « Tuer des Blancs pour de l'argent, quoi de mieux ? » La fraternité entre Schultz et Django est une marque de fabrique de Tarantino.

À DROITE : « Si tout ce qu'il y avait à faire, c'était un trou dans un sac, j'aurais mieux fait moi-même. » La scène du Ku Klux Klan est une splendide chevauchée, avec une série de dialogues comiques, amenant de l'esprit là où il n'y en a guère.

EN BAS À DROITE : Libéré de ses chaînes, Django échange ses haillons pour une tenue inspirée du tableau de Thomas Gainsborough, *The Blue Boy* (1779).

Tarantino ne s'était plus lancé dans les plaisirs du duo. Son écriture propulsée à l'ego a montré de moins en moins d'inclination, avec le temps, à jouer avec d'autres. La plupart des tueurs dans *Kill Bill* étaient des agents solitaires et, dans *Inglorious Basterds*, Hans Landa était bien seul. Le bavardage entre Django et le Dr Schultz, les yeux pétillants, la moustache tremblante, ressuscite quelque chose de la camaraderie similaire, là aussi multiraciale, entre Jules et Vincent dans *Pulp Fiction*, même si Tarantino semble beaucoup plus intéressé par le compagnon bavard de Django que par Django lui-même. Son enthousiasme pour Waltz semble ne pas connaître de limite, une explication des origines allemandes du Dr. Shulz, qui aurait pu mériter juste une ligne, se déversant dans l'intrigue du film, la recherche de l'épouse parlant Allemand de Django, Broomhilda von Shaft (Wagner revu par Isaac Hayes), devenant une mission de sauvetage sur le modèle de la légende de Siegfried, racontée par Schultz autour d'un feu de camp à côté de rochers un peu carton-pâte.

Tout cela se déroule dans un esprit de folie burlesque plus proche de Mel Brooks que de Sergio Leone et certaines scènes, notamment le rassemblement du Ku Klux Klan mené par Don Johnson en Big Daddy, dans lequel les cavaliers en colère se plaignent qu'ils n'y « voient que dalle » à travers les trous de leurs cagoules, sont parmi les plus drôles que Tarantino a écrites. (« Je dis – et on se dit tous – que ces sacs, c'était une gentille idée, et là je ne vise personne, ils auraient pu être mieux faits », conclut l'un, et l'autocorrection du "je" en "nous" est tout simplement parfaite.)

Dans le même temps, la photographie de Robert Richardson nous livre quelques-unes des plus belles images d'un film de Tarantino, de la projection de sang sur les fleurs de coton blanches au cheval galopant en liberté. « Il a un regard tellement juste, et ses travellings de chevaux et de cavaliers donnent une idée des superbes films de cow-boys qu'il aurait pu faire, à une autre époque », a écrit Anthony Lane dans *The New Yorker*. Mais quelque chose change dans le rythme et l'équilibre de *Django Unchained* dès que les chasseurs se dirigent vers le Sud et que l'écran se remplit (et déborde) du mot "Mississippi".

EN HAUT :
Beauté et violence. Le travail sur l'image de
Robert Richardson lui a valu une nomination
de plus aux Oscars.

La femme de Django, Broomhilda, la demoiselle
en détresse, est esclave à Candyland.

À DROITE : L'arrivée de Django et Schultz
à Candyland, la plantation de Calvin Candie.
Ils sont froidement accueillis par Stephen.

Dans la seconde moitié du film, Tarantino
quitte ces magnifiques paysages à la Leone
pour plonger dans la chaleur, l'immobilisme
et la stagnation de Candieland, la plantation
où la femme de Django, Broomhilda (Kerry
Washington) est asservie par son maître, Calvin
Candie (Leonardo DiCaprio), un dandy épicurien
en brocart qui organise d'ultra-violents matchs de
lutte "mandingue" entre des esclaves, avec bras
brisés et yeux crevés.

Le théâtre de la cruauté de Tarantino trouve
ici son maître le plus détestable et décontracté,
joué avec un brio presque indécent par DiCaprio,
proférant de longs discours haineux sur la
phrénologie tout en tapotant le crâne d'un ancien
serviteur. Il n'y a qu'un seul problème : le film
a déjà son baratineur, Schultz, qui se retrouve
maintenant, entre de longs passages de silence,
devoir produire des exploits d'éloquence
qui transforment le film en un duel mexicain
de volubilité.

CALVIN CANDIE

White cake ?

DR KING SCHULTZ

I don't go in for sweets, thank you.

CALVIN CANDIE

Are you brooding 'bout me getting the best
of ya, huh ?

DR KING SCHULTZ

Actually, I was thinking of that poor devil
you fed to the dogs today, D'Artagnan.
And I was wondering what Dumas would
make of all this.

CALVIN CANDIE

Come again ?

DR KING SCHULTZ

Alexander Dumas. He wrote « The Three
Musketeers. »

CALVIN CANDIE

Yes, of course, doctor.

DR KING SCHULTZ

I figured you must be an admirer. You named
your slave after his novel's lead character. Now,
if Alexander Dumas had been there today, I
wonder what he would have made of it ?

CALVIN CANDIE

You doubt he'd approve ?

DR KING SCHULTZ

Yes. His approval would be a dubious proposition at best.

CALVIN CANDIE

Soft-hearted Frenchie.

DR KING SCHULTZ

Alexandre Dumas is black.

CALVIN CANDIE

Une part de gâteau blanc ?

DR KING SCHULTZ

Je ne suis pas friand de sucre, merci.

CALVIN CANDIE

Vous êtes dépité que j'ai été plus fort que vous, hein ?

DR KING SCHULTZ

En réalité, je songeais à ce pauvre diable que vous avez donné en pâture aux chiens aujourd'hui, d'Artagnan. Et je me demandais ce que Dumas penserait de tout cela.

CALVIN CANDIE

Comment cela ?

DR KING SCHULTZ

Alexandre Dumas est l'auteur des Trois Mousquetaires.

CALVIN CANDIE

Oui, bien sûr, Docteur.

DR KING SCHULTZ

Je pensais bien que vous étiez de ses admirateurs. Vous avez donné à votre esclave le nom du personnage principal de son roman. Et cependant, si Alexandre Dumas avait été des nôtres aujourd'hui, je me demande ce qu'il aurait pensé.

CALVIN CANDIE

Vous doutez qu'il ait approuvé ?

DR KING SCHULTZ

Oui. Car l'hypothèse de son approbation serait pour le moins aventureuse.

CALVIN CANDIE

Chochoteries de Français…

DR KING SCHULTZ

Alexandre Dumas a du sang noir.

Qui pensait que l'écrivain de *Reservoir Dogs* et *Pulp Fiction*, chefs-d'œuvre de langue populaire américaine, finirait par écrire ces échanges de dentelles parfumées ? Tarantino a toujours eu

un faible pour l'archaïsme rhétorique : dans *Pulp Fiction*, Samuel L. Jackson disait bien « permettez-moi de rétorquer » à son auditoire captif de jeunes yuppies terrifiés, mais on pouvait voir la peur sur leurs visages. La scène durait à peine cinq minutes : la suite vous a scotchés sur votre siège avant même que vous sachiez ce qui se passait. La conférence sur la phrénologie de DiCaprio, en revanche, se déroule pendant une scène de dîner de vingt-cinq minutes, ce qui est plus que suffisant pour confirmer que Calvin Candie est, comme Bill avant lui, un sacré emmerdeur.

Le tout se termine quand Django prend sa revanche, redécore les murs de la sudiste maison Candie avec du sang, « qui a ses propres mouvements de ballet, a écrit David Thomson dans *New Republic.* C'est Jackson Pollock, pour la vitesse, et il jaillit des corps à la manière du pétrole dans *Giant (Géant)* ou du sperme dans un film porno. Ça ne peut pas attendre. »

On pense alors aux films de Tarantino qui ont la même transition dans l'action, du mouvement au confinement puis à l'explosion, comme un adolescent impatient piégé dans sa chambre. Ici, Tarantino apparaît lourd, et le film « égare sa mélancolie et son esprit amer pour devenir un saccage braillard, écrit Anthony Lane. C'est un hommage aux westerns spaghetti, cuit *al dente,* puis cuit un peu trop et enfin couvert de trop de sauce. »

Le film a apporté l'Oscar du Meilleur second rôle à Christoph Waltz et celui du Meilleur scénario original à Tarantino. La remise en question du tabou de l'esclavage a séduit l'Académie, ainsi que l'esprit grinçant du film. « En plaçant son histoire de revanche dans le vieux Sud plutôt qu'au Far West et en faisant de son héros un ancien esclave noir, Tarantino défie un vieux tabou, écrit A. O. Scott dans le *New York Times.* Quand vous essuyez le sang et l'humour anarchique, ce que vous voyez dans *Django Unchained* est le dégoût moral pour l'esclavage, la sympathie instinctive pour l'outsider et l'affirmation, dans la relation entre Django et Schultz, de ce que l'on appelle fraternité. »

Avec 425 millions de dollars, *Django* fait le meilleur score des films de Tarantino. En France, c'est, de loin, son plus grand succès public à ce jour, avec plus de 4 300 000 entrées.

EN HAUT : Comme beaucoup de personnages de Tarantino, Candie aime utiliser la violence pour démontrer son pouvoir.

À GAUCHE : Tarantino fait une brève apparition explosive en employé de la mine.

À DROITE : Tournage du massacre dans le manoir de Candie.

LES HUIT SALOPARDS

2015

C'est en parcourant sa collection de séries comme *Bonanza, The Big Valley (La Grande Vallée)* et *The Virginian (Le Virginien)*, après le tournage de *Django Unchained* que le noyau de l'idée qui est devenue *Les Huit Salopards* lui est venu. « Deux fois par saison, ces séries avaient un épisode où un groupe de hors-la-loi prenait les personnages principaux en otage. J'ai pensé : "Et si je faisais un film avec seulement ces personnages ? Pas de héros. Juste un tas de méchants dans une pièce, se racontant des histoires qui peuvent être vraies, ou pas. Enfermons ces gars dans une pièce avec le blizzard dehors, donnons-leur des flingues, et regardons ce qui se passe." »

Dans la version de Tarantino, un chasseur de primes, John Ruth (Kurt Russell), tente d'amener une fugitive, nommée Daisy Domergue (Jennifer Jason Leigh), à Red Rock où elle va être pendue et où il va toucher une prime de 10 000 dollars. En cours de route, le couple est pris dans une tempête de neige et se retrouve piégé avec six autres étrangers au Minnie's Haberdashery (la mercerie de Minnie), une auberge délabrée en bordure de route. Mais l'histoire tourne davantage au mauvais roman policier qu'au western sur grand écran quand, en janvier 2014, le site de ragots Gawker publie un brouillon de script. Tarantino est

EN HAUT : Le blizzard oblige John Ruth (Kurt Russell) à accueillir dans sa diligence le major Marquis Warren (Samuel L. Jackson).

À DROITE : Après le problème de la fuite du script, l'énergie des acteurs et la réaction positive du public lors de la lecture à Los Angeles poussent Tarantino à finalement réaliser le film.

«**Vous savez, chacun de mes films est pris dans une sorte de controverse stupide, sur le moment. Et puis, huit ans plus tard, il passe à la télévision. D'accord? Alors, c'est ça, être controversé?**»

«dévasté», poursuit Gawker en justice et annonce qu'il n'a plus l'intention de faire le film. «C'était vraiment un travail en cours, dit Stacey Sher, la productrice. Et puis… Boum! Des gens disent qu'ils ont lu le script et, tout d'un coup, c'est sur Internet. Je pensais vraiment que ça n'arriverait pas. Je pensais qu'il allait le publier et ne pas faire le film.»

Très peu de gens ont lu le script à ce moment-là et le soupçon se réduit rapidement à six suspects: Michael Madsen, Tim Roth, Bruce Der, le producteur de *Django Unchained* Reggie Hudlin et deux agents, à qui Hudlin ou l'un des acteurs ont passé le script. «C'était l'un des six», insiste Tarantino, qui finit par se calmer après un voyage au Festival de Cannes pour la projection du vingtième anniversaire de *Pulp Fiction*. S'il connaît le coupable, il ne l'a jamais dénoncé. Décidé à faire avec, il donne une lecture du script au Théâtre de l'Hôtel Ace, à Los Angeles, en avril, avec Samuel L. Jackson, Kurt Russell, Bruce Dern, Walton Goggins et Michael Madsen. «L'énergie, dans ce théâtre était énorme, dit Madsen. C'était super. Et après, Quentin a dit: "Waouh! Ça s'est vraiment bien passé. Je ne pensais pas que ça marcherait aussi bien." Et on lui a répondu: "Ouais, ça le fait, mec!" Il me semble que c'est là qu'il a pris la décision de faire le film.»

Au début du mois de juin, Tarantino appelle la productrice Stacey Sher et le projet repart. Réécrivant le script, il apporte des changements à la fin du film. «La fin n'était pas censée être la fin, c'était une fin, a-t-il dit. La lettre de Lincoln servait une fois, et c'était tout. Je savais que je voulais en faire plus avec cette lettre.» La plupart des acteurs qui ont participé à la lecture d'avril jouent dans le film, sauf Amber Tamblyn, qui a lu le rôle de Daisy mais est remplacée par Jennifer Jason Leigh. Voulant filmer au milieu des Rocheuses en plein hiver en utilisant une vieille technologie, le 70 mm Ultra Panavision, Tarantino fait rénover et tester les lentilles utilisées pour filmer *Ben-Hur* en 1959, s'assurant qu'elles résisteront au froid extrême. «Ils ont eu un été incroyablement humide, alors nous devrions avoir un hiver incroyablement neigeux, s'enthousiasme-t-il. Il devrait y avoir de

EN HAUT ET À DROITE : Il fallait se battre
contre les éléments, dehors comme
à l'intérieur, face aux températures
glaciales de Telluride en hiver.

EN BAS : Avec le compositeur Ennio
Morricone lors de l'enregistrement
de la musique du film.

la neige profonde, les Rocheuses juste derrière
nous, et une partie de l'idée de filmer là-bas est
que le froid crée la souffrance. »

À partir de janvier 2015, ils tournent à Telluride,
avec une température qui descend parfois à
moins dix ou moins vingt degrés. Ils ne savent
jamais ce que le temps va être plus de trois
jours à l'avance, ce qui a fait des ravages dans
l'ordre de tournage des scènes, même en ayant
répété l'ensemble avant. Ils finissent par courir
après le temps. S'il neige, ils tournent les scènes
d'extérieur. Si le temps est couvert ou brumeux,
ils sont dans la diligence. Quand il fait beau,
ils travaillent sur le plateau de la mercerie de
Minnie, construite en taille réelle en extérieur.
« Du coup, l'idée de commencer une scène et
de l'emmener émotionnellement jusqu'à sa fin
disparaît » dit Tarantino.

Filmant depuis l'intérieur d'une cabine
construite sur le plateau, Tarantino maintient
une température ambiante de deux degrés à
l'intérieur de l'ensemble afin que le souffle des
acteurs soit visible. « On avait vraiment froid, dit
Jennifer Jason Leigh. Je me disais : "Est-ce que
je sors de la diligence et que je marche jusqu'à
la tente où il y a un appareil de chauffage, à cent
mètres de là ? Ou est-ce que m'assois juste dans
la neige ?" »

Presque tous les films de Tarantino, jusque-
là, n'avaient pas de musique originale, bien
que certaines parties musicales de *Kill Bill*
aient été composées par Robert Rodriguez
et entrecoupées de vieux morceaux d'Ennio
Morricone. Pour *Les Huit Salopards,* Tarantino
veut Morricone lui-même. « Quelque chose dans
ce film, plus que dans les autres — et j'y tenais
beaucoup — me faisait penser qu'il lui fallait son
propre thème musical, quelque chose qui n'avait
pas été entendu ailleurs », a-t-il raconté.

À Rome pour recevoir les David di Donatello
pour *Pulp Fiction* et *Django Unchained*, Tarantino
est reçu par le compositeur chez lui. Morricone
lui demande quand il a prévu de commencer le
tournage. Tarantino lui dit que le film est déjà
réalisé. « Oh, ça ne marchera pas, alors », dit
Morricone qui allait commencer à travailler sur un
film de Giuseppe Tornatore quelques semaines
après. Cependant, se souvenant de la musique
qu'il n'avait pas utilisée pour *The Thing* de John
Carpenter, en 1982, il réalise qu'il pourrait la
reprendre, enregistrer une version pour cordes,
une version pour cuivres et une version complète
pour orchestre, que Tarantino pourra utiliser
comme il l'entend. Le ton de claustrophobie
hivernale et de paranoïa de *The Thing*, ainsi que
l'interprétation de Kurt Russell, ont fait le lien

dans l'esprit du compositeur. « Quentin Tarantino considère ce film comme un western, a-t-il dit. Pour moi, ce n'est pas un western. »

À l'écoute de la partition intense, dynamique et sombre, écrite bien avant le film et plus proche, à certains égards, des musiques de films d'horreur ou *giallo* italiens, Tarantino n'est pas emballé. « Il a fallu que je l'écoute pendant deux ou trois jours avant même d'en parler avec mon monteur, dit-il. Après, je lui ai demandé : "Qu'est-ce que tu en penses ?" Et il a dit : "C'est bizarre. J'aime ça. Mais c'est bizarre. Ce n'est pas ce que j'attendais." Et j'ai dit : "Moi non plus ! " »

Surtout en raison de la météo, la production dépasse de 16 millions de dollars son budget initial et finit par atteindre 44 millions. Auxquels il faut ajouter les 10 millions de dollars que la The Weinstein Company doit payer pour trouver et rénover suffisamment de projecteurs 70 mm pour montrer le film dans le format préféré de Tarantino, la plupart des cinémas s'étant convertis à la projection numérique. Le fait que *Django Unchained* et *Inglourious Basterds* aient rapporté 747 millions de dollars à la société a bien aidé… Tout en lançant le film dans 2 500 salles de projection numérique, les Weinstein financent une tournée dans 100 salles équipées en 70 mm, avec une ouverture, une projection en deux parties séparées par un entracte de douze minutes, à l'ancienne, et un programme-souvenir. En France, cinq cinémas ont projeté le film en 70 mm en avant-première ainsi que le Marignan, à Paris, pour toutes ses séances.

Le réalisateur est hypertendu les dernières semaines avant la sortie. Le jour de Noël, il assiste à la projection de onze heures du matin au centre commercial Del Amo à Torrance, où il a vu tellement de films, adolescent. « J'ai regardé le dernier chapitre, raconte-t-il. Quand je suis entré, c'était vraiment sombre et je ne pouvais rien voir et puis il y a eu un gros plan de Sam Jackson et de sa manche blanche qui a illuminé la salle et j'ai

EN HAUT : Affiche annonçant les projections spéciales du film en pellicule 70 mm dans une centaine de salles aux États-Unis, rééquipées de projecteurs pour Ultra Panavision.

À GAUCHE : Samuel L. Jackson est le major Marquis Warren, un ex-officier nordiste devenu chasseur de primes.

PAGES PRÉCÉDENTES : La tension monte entre John Ruth, Daisy et le général Sandy Smithers (Bruce Dern) comme entre tous les protagonistes.

EN HAUT : Daisy Domergue (Jennifer Jason Leigh) est maltraitée par John Ruth (Kurt Russell), mais elle n'a rien d'une faible victime.

À DROITE : Le major Warren (Samuel L. Jackson) monte la garde sur ses cadavres mis à prix.

vu qu'elle était comble, bordel ! Le jour de Noël ! J'ai quitté la salle mais j'ai été accroché par le Johnny Rockets (restaurant fast-food style années 1950 – NdT) et j'ai regardé les gens qui sortaient. Ils tenaient leurs programmes et je pouvais voir qu'ils avaient vraiment aimé le film. J'étais surpris de sentir à quel point j'étais touché, de voir ces gens se diriger vers leurs voitures en serrant leurs programmes des *Huit Salopards*. »

Situé dans les larges étendues vides du Wyoming et filmé en somptueux 70 mm Ultra Panavision pour grand écran, *Les Huit Salopards* est néanmoins le film le plus renfermé de Tarantino. Une grande partie de la première moitié se passe dans une diligence et l'autre moitié, à l'exception de courts plans dans une étable et une dépendance, se déroule intégralement dans une grande salle isolée où on sert du café et du ragoût à un groupe de personnages rejoint par un autre groupe qui cherche un abri face à une tempête de neige. Peu de temps après la Guerre de Sécession, un chasseur de primes, John Ruth (Kurt Russell), convoie une meurtrière, Daisy Domergue (Jennifer Jason Leigh), vers la ville de Red Rock pour qu'elle y soit pendue. En route, John Ruth recueille deux passagers : le major Marquis Warren (Samuel L. Jackson), ancien officier nordiste maintenant lui aussi chasseur de primes et vieille connaissance de John, qui transporte les cadavres de trois hommes recherchés morts ou vifs, et Chris Mannix (Walton Goggins), un Sudiste farouche à l'accent baroque qui va prendre le poste de shérif à Red Rock. Devant la cheminée de chez Minnie, ils trouvent un vieux général sudiste (Bruce Der), un dandy anglais, bourreau de métier, à l'éloquence

« *Django* a marqué pour moi le début d'un aspect politique de mon travail et je pense que *Les Huit Salopards* en a été l'extension logique et la conclusion. De manière étrange, *Django* a été la question et *Les Huit Salopards* la réponse. »

À GAUCHE : L'apparition de Jody, le frère de Daisy (Channing Tatum), est l'une des surprises du film.

pointilleuse (Tim Roth), un cow-boy grossier et taciturne (Michael Madsen) et un vagabond mexicain qui gère temporairement le lieu (Demián Bichir).

Personne, ou presque, n'est censé se connaître, mais la sinistre houle de la partition d'Ennio Morricone nous fait douter. Alors que les soupçons s'élèvent dans cette serre d'intimité involontaire, les étincelles volent et la violence éclate finalement, déclenchant un Grand Guignol final de crime et de punition. « Il y a une vraie chaleur, de la vraie haine, dans la confrontation entre samuel L. Jackson et Bruce Dern, dont le jeu se hisse au-dessus de la conscience de soi maniérée que l'écriture de M. Tarantino appelle souvent, » a écrit A. O. Scott dans le *New York Times*, mais le plus grand conflit, de loin, est entre Quentin Tarantino écrivain et Quentin Tarantino réalisateur.

Au tout début de sa carrière, l'auteur-réalisateur dit à un auditoire, au festival du film de Toronto en 1992 : « Je ne me vois jamais comme un écrivain, je me vois comme un réalisateur qui écrit lui-même de quoi filmer » mais, comme il le dit plus tard à Rodriguez, l'écriture est devenue « de plus en plus importante pour moi. J'ai ce premier flash d'excitation, toujours, quand j'écris quelque chose qui part dans une direction et que tout d'un coup, une inspiration soudaine se produit et ça va ailleurs, et c'est parti. »

Dans *Les Huit Salopards*, l'écrivain Tarantino cloue le réalisateur Tarantino au sol, vaincu. Ce film est comme un mystère à la Agatha Christie pris dans le style *Bonanza*, avec Marquis Warren dans le rôle d'Hercule Poirot, sauf que Tarantino n'a pas pris la peine d'inventer le mystère. Il n'y a pas de corps, pas de crime à résoudre et, en l'absence d'une mise en place claire, les personnages sont obligés de la concocter eux-mêmes, comme des personnages d'une pièce de Ionesco débattant de l'artifice par lequel ils ont été amenés à se rencontrer, dramaturges miniatures qui transforment le bouge en scène de théâtre, jouent, saluent et sont balayés : des *Reservoir Dogs* réduits à leur ADN dramatique minimum.

« Une infusion bestiale : un mélange d'Agatha Christie et de Sergio Leone, dopé par du poison postmoderniste », a conclu Anthony Lane dans le *New Yorker,* mettant en avant la performance de Jennifer Jason Leigh en Daisy Domergue. « Son regard lent remplissant l'écran, inclinant la tête, l'œil noir et le sourire plissé, est peut-être le portrait le plus convaincant de la méchanceté et de son attrait démoniaque, dans tout Tarantino. Avec ce sourire seul, Leigh embarque le film. »

« Si on considère son dernier bain de sang dans un décor unique, *Reservoir Dogs,* on est loin d'avoir un film accompli, mais il est plein de contre-courants psychologiques et de dilemmes émotionnels, a écrit David Edelstein dans le magazine *New York.* Tarantino a laissé les dilemmes émotionnels derrière lui. Il est maintenant dans l'esprit de vengeance *grindhouse,* monté sur son propre stupide comment-faire-un-toujours-plus-gros carnage. Vous vous demandez ce qu'il a dans sa manche, dans *Les Huit Salopards,* mais aussi belle la manche soit-elle, ce qu'elle contient, c'est de la foutaise. Ce film, c'est beaucoup de gore sur beaucoup de rien. J'espère que ce ne sera pas l'épitaphe de Tarantino. »

Le film rapporte quand même plus de 155 millions de dollars dans le monde, avec 1 800 000 entrées en France, moins qu'*Inglorious Basterds* et *Pulp Fiction* et surtout que *Django Unchained,* mais presque autant que le premier volume de *Kill Bill.*

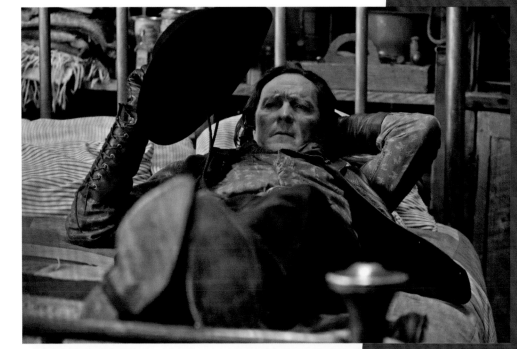

EN HAUT :
Michael Madsen joue un cow-boy apparemment placide, Joe Gage.

Ne faire confiance à personne. Le nouveau shérif de Red Rock, Chris Mannix (Walton Goggins) reste sur ses gardes.

PAGES SUIVANTES : Armés et dangereux. Les revolvers sont forcément de sortie.

ÉPILOGUE

Tarantino a souvent dit qu'il arrêterait au bout de dix films. « Réaliser, j'en suis sûr, est une activité d'homme jeune, déclare-t-il au *Hollywood Reporter* en 2013. Les réalisateurs ne deviennent pas vraiment meilleurs en vieillissant. Quand je tournais *Pulp Fiction*, je serais mort pour le film ! Si je ne sens pas les choses aussi fort, je ne veux pas signer ce travail. Je pense que je le dois aux gens qui aiment ce que je fais. Je ne veux pas me griller, d'accord ? Si un gars dans mon genre aime mon boulot, peut-être qu'il a vu *Reservoir Dogs* à vingt ans, ou quand il avait mon âge, ou peut-être que le gars dont je parle n'est pas encore né, tu vois ? Peut-être qu'il est né aujourd'hui et qu'il va découvrir tout mon boulot en grandissant. Je ne veux pas qu'il ait à me trouver des excuses pour les vingt dernières années de ma carrière, parce que j'ai défendu des réalisateurs avant et je sais qu'il faut toujours leur trouver des excuses. C'est ma grande idée : je ne veux pas me griller. »

À GAUCHE : Portrait par William Callan, 2016.

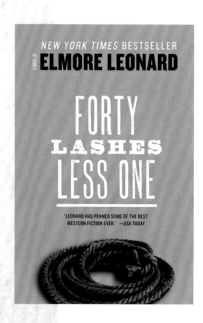

NEW YORK TIMES BESTSELLER
ELMORE LEONARD

FORTY
LASHES
LESS ONE

"LEONARD HAS PENNED SOME OF THE BEST
WESTERN FICTION EVER." —USA TODAY

EN HAUT: Le prochain projet ?
Tarantino a fait part de son envie
d'adapter un autre roman d'Elmore
Leonard, *Forty Lashes Less One*
(*Le Zoulou de l'Ouest*), sous forme
d'une mini-série pour la télévision.

Au fil des ans, il y a eu assez de films que
Tarantino a failli faire pour lui constituer une
carrière B. Après *Reservoir Dogs* en 1992, il pense
adapter la bande dessinée Marvel *Luke Cage :
Hero For Hire*. Luke Cage est l'un des premiers
héros afro-américains de Marvel et Tarantino
discute du rôle avec Laurence Fishburne. Après
le succès de *Pulp Fiction* en 1994, son nom est
cité pour une adaptation de *Modesty Blaise*, le –
dernier – livre que Vincent Vega-John Travolta lit,
dans les toilettes de *Pulp Fiction*, ainsi que pour
une version de *The Man From U.N.C.L.E. (Agents
très spéciaux)*. Il passe également des décennies
à parler d'un projet connu sous les noms *Double
V Vega* ou *Les Frères Vega*, associant Vic Vega
de *Reservoir Dogs* (Michael Madsen) à Vincent
Vega de *Pulp Fiction* (John Travolta). Comme
les années passent, il prend même en compte
l'âge avancé des acteurs : « J'ai pensé que Vic
et Vincent auraient deux frères plus âgés qui se
seraient retrouvés parce que les deux jeunes
seraient morts, a-t-il dit. Et ils voudraient se
venger ou quelque chose comme ça. »

À la fin des années 1990, il est question qu'il
tourne une version de *Casino Royale*, le seul
roman de Ian Fleming qui, à ce moment-là, n'avait
pas été adapté sérieusement au cinéma, mais
après le départ de Pierce Brosnan de la franchise
en 2005, Tarantino n'est plus intéressé. « Ce n'était
pas juste pour participer à un James Bond.
Si j'avais pu subvertir Bond, on aurait eu de la
subversion à un niveau massif », a-t-il dit.

On a aussi parlé d'une adaptation du thriller
d'espionnage de Len Deighton qui se déroule
pendant la Guerre froide, *Berlin Game*, d'un
remake de *The Psychic (L'Emmurée vivante)*,
le film d'horreur de Lucio Fulci de 1977 sur
une femme qui a des prémonitions, avec
éventuellement Bridget Fonda, et d'un projet
qu'il a décrit lui-même avec enthousiasme
comme « un film de sexe cool » qui se passerait
à Stockholm, avec un couple d'Américains en
visite chez un couple d'amis suédois. « Un peu
comme les filles dans *Boulevard de la mort*,
ils sortent boire un coup, prennent du bon
temps, se branchent… »

Il n'a plus parlé d'aucun de ces projets depuis des années. Il est plus probable que voit le jour une mini-série de télévision, adaptation du roman d'Elmore Leonard de 1972, *Forty Lashes Less One (Le Zoulou de l'Ouest)*, qui raconte l'histoire de deux condamnés à mort, un Apache et un ancien soldat noir, à qui on donne une chance d'être libérés s'ils descendent les cinq pires hors-la-loi de l'Ouest. Tarantino détient les droits et a écrit un script de vingt pages.

Il a récemment redit son envie de continuer dans la veine de *Django Unchained* et des *Huit Salopards*. « Pour être un vrai réalisateur de westerns aujourd'hui, il faut en avoir réalisé au moins trois, prétend-il. Et j'aimerais vraiment faire une mini-série de quatre ou cinq épisodes d'une heure, entièrement écrite et réalisée par moi. Elle serait dans la continuité de *Django* et des *Huit Salopards*, car elle traite des problèmes raciaux et se déroule entièrement à l'intérieur d'une prison territoriale. C'est un très bon livre et j'ai toujours voulu raconter cette histoire, alors nous allons voir. »

Tarantino a aussi mentionné son désir de réaliser un film pour enfants, une comédie romantique loufoque à la Howard Hawks, un film biographique sur l'abolitionniste John Brown et un film de gangsters des années 1930 "réimaginé". « Ce serait une histoire genre *Bonnie and Clyde*, avec un couple de hors-la-loi en Australie. Et on verra bien ce qui arrive. » Ensuite, il y a un possible préquel, un récit précédant l'histoire d'*Inglourious Basterds*, à partir du matériau qui n'a pas été retenu dans le script de tournage, avec Aldo et Danny, qui « suivrait un peloton de soldats noirs, traduits en cour martiale, qui se sont évadés. Ils sont en France, ils devaient être envoyés à Londres pour y être pendus et ils veulent se réfugier en Suisse. Au cours de leur aventure, ils rencontreraient les Basterds, a-t-il expliqué. Alors, je pourrais encore faire ça. »

Le plus vivement attendu de ses projets est probablement le volume 3 de *Kill Bill*. Après en avoir fait tellement voir à Beatrix Kiddo dans les deux premiers films, il n'est pas pressé de briser sa paix intérieure durement gagnée, mais

EN HAUT : Laisser sa marque sur Hollywood. L'empreinte des mains et des baskets de Tarantino a été placée devant le Grauman's (TCL) Chinese Theatre, sur Hollywood Bld., à Los Angeles.

À DROITE : Vers la retraite ?
Tarantino devant son cinéma,
le New Beverly à Los Angeles.

a récemment déclaré : « Je ne serais pas surpris
si la Mariée faisait une dernière apparition avant
que tout soit fini. J'en ai parlé un peu à Uma. Je
pourrais peut-être utiliser certaines des choses
que j'ai écrites et jamais utilisées dans le film et
j'imagine : "Okay, maintenant, treize ans plus tard,
qu'est-ce qui pourrait se passer avec Sofie Fatale,
et avec Elle Driver ?" » Il a déjà une intrigue prête :
« Sofie Fatale reçoit tout l'argent de Bill. Elle élève
Nikki [la fille de Vernita Green, le personnage joué
par Vivica A. Fox], qui va se charger de la Mariée.
Nikki mérite sa vengeance tout autant que la
Mariée méritait la sienne. »

Après trois films d'époque à la suite, il a aussi
envie de revenir au présent. « Ce serait vraiment
génial de faire un autre film avec une télé en
arrière-plan, où quelqu'un allume une radio, que
je puisse rythmer la scène avec, puis l'éteindre
quand je veux que la musique s'arrête. Ou les
faire monter dans une voiture et conduire pendant
un moment, que je puisse faire un petit montage
rythmé par une chanson cool. Ce serait vraiment
génial. Je n'ai pas fait ça depuis longtemps, et
j'en suis vraiment impatient. »

Au-delà, les pages sont vierges. Il a souvent
parlé de se tourner vers l'écriture de romans et
la critique de films, sans exclure la télévision ou
le théâtre. En 2007, il a acheté à Los Angeles
un cinéma, le New Beverly Cinema, sur Beverly
Boulevard et en est devenu le programmateur,
montrant des films, tous en pellicule 35 mm,
souvent empruntés à sa collection privée. « J'ai
commencé à me rendre compte que je suis un
propriétaire de cinéma frustré, a-t-il dit. Je vais
déménager de Los Angeles, vers un endroit où je
pourrai vivre jusqu'à cent ans, peut-être dans le
Montana ou quelque part comme ça, un endroit
avec du bon air, et acheter un petit cinéma. J'aurai
tous mes films, et je leur montrerai, ce sera mon
truc. Je serai le vieux fou de la ville qui a ce petit
cinéma. Ça serait vraiment à une vie cool pour
un vieux gars ! »

FILMOGRAPHIE

Tarantino réalisateur, scénariste, producteur
et acteur, par ordre chronologique

Love Birds in Bondage

Court-métrage inachevé, 1983
(Novacaine Films)
Réalisateurs : Quentin Tarantino, Scott Magill
Scénario : Quentin Tarantino, Scott Magill
Directeur photo : Scott Magill
Montage : Scott Magill
Acteurs : Quentin Tarantino (boyfriend)

My Best Friend's Birthday

Court-métrage inachevé, 1987, 69 minutes
Réalisateur : Quentin Tarantino
Scénario : Quentin Tarantino, Craig Hamann
Directeur photo : Roger Avary, Scott Magill,
Roberto A. Quezada, Rand Vossler
Producteurs : Quentin Tarantino, Craig Hamann,
Rand Vossler
Montage : Quentin Tarantino
Acteurs : Quentin Tarantino (Clarence Pool), Craig
Hamann (Mickey Burnett), Crystal Shaw Martell (Misty),
Allen Garfield (Entertainment Magnate), Al Harrell
(Clifford), Rich Turner (Oliver Brandon)

Vegetables

Vidéo, 1989, 90 minutes
Réalisatrice : Laura Lovelace
Avec Quentin Tarantino

Past Midnight (Coupable)

(Cinetel Films)
Présentation octobre 1991 (Vancouver
International Film Festival), 100 minutes
Réalisateur : Jan Eliasberg
Scénario : Frank Norwood
Directeur photo : Robert D. Yeoman
Montage : Christopher Rouse
Producteur : Lisa M. Hansen
Producteur associé : Quentin Tarantino

Les dates de sortie des films sont les dates de sortie aux États-Unis.

Acteurs : Rutger Hauer (Ben Jordan), Natasha Richardson
(Laura Mathews), Clancy Brown (Steve Lundy)

Reservoir Dogs

(Live Entertainment/Dog Eat Dog Productions)
Présentation 21 janvier 1992 (Sundance Film Festival),
sortie limitée 23 octobre 1992, 99 minutes
Réalisateur : Quentin Tarantino
Scénario : Quentin Tarantino, Roger Avary
Directeur photo : Andrzej Sekula
Producteur : Lawrence Bender
Montage : Sally Menke
Acteurs : Quentin Tarantino (Mr. Brown), Harvey Keitel
(Mr. White), Tim Roth (Mr. Orange), Michael Madsen
(Mr. Blonde), Edward Bunker (Mr. Blue), Steve Buscemi
(Mr. Pink), Chris Penn (Nice Guy Eddie Cabot),
Lawrence Tierney (Joe Cabot)

Eddie Presley

Présentation mars 1992 (South by Southwest
Film Festival), 106 minutes
Réalisateur : Jeff Burr
Scénario : Duane Whitaker
Directeur photo : Thomas L. Callaway
Producteurs : William Burr, Chuck Williams
Montage : Jay Woelfel
Acteurs : Duane Whitaker (Eddie Presley),
Laurence Tierney (Joe West), Quentin Tarantino
(apparition en employé de l'asile)

True Romance

(Morgan Creek Productions/Davis-Films/August
Entertainment/Sterling MacFadden)
Sortie 10 septembre 1993, 120 minutes
Réalisateur : Tony Scott
Scénario : Quentin Tarantino
Directeur photo : Jeffrey L. Kimball
Producteurs : Gary Barber, Samuel Hadida,

Steve Parry, Bill Unger
Montage : Michael Tronick, Christian Wagner
Acteurs : Christian Slater (Clarence Worley),
Patricia Arquette (Alabama Whitman), Dennis Hopper
(Clifford Worley), Val Kilmer (Mentor), Gary Oldman
(Drexl Spivey), Brad Pitt (Floyd), Christopher Walken
(Vincenzo Coccotti), Samuel L. Jackson (Big Don),
Michael Rapaport (Dick Ritchie)

Killing Zoe

(Davis-Films/Live Entertainment/PFG Entertainment)
Présentation octobre 1993 (Raindance Film Festival,
Royaume-Uni), sortie septembre 1994, 96 minutes
Réalisateur & Scénario : Roger Avary
Directeur photo : Tom Richmond
Montage : Kathryn Himoff
Producteur : Samuel Hadida
Producteurs exécutifs : Quentin Tarantino,
Lawrence Bender, Rebecca Boss
Acteurs : Eric Stoltz (Zed), Julie Delpy (Zoe),
Jean-Hugues Anglade (Eric), Gary Kemp (Oliver),
Bruce Ramsay (Ricardo)

The Coriolis Effect

(Secondary Modern Motion Pictures/Vanguard
International Cinema)
Présentation 26 mars 1994 (New York New Directors
and New Films Festival), 33 minutes
Réalisateur : Louis Venosta
Scénario : Louis Venosta
Directeur photo : Paul Holahan
Producteur : Kathryn Arnold
Montage : Luis Colina
Acteurs : Dana Ashbrook (Ray), Corrine Bohrer (Suzy),
David Patch (Terry), Jennifer Rubin (Ruby),
James Wilder (Stanley), Quentin Tarantino
(voix de Panhandle Slim)

> **«Pour moi, c'est la filmographie qui compte, et je veux partir avec une filmographie d'enfer.»**

Natural Born Killers *(Tueurs-nés)*
(Warner Bros/Regency Enterprises/Alcor Films/Ixtlan/
New Regency Pictures/J D Productions)
Sortie 26 août 1994, 118 minutes
Réalisateur : Oliver Stone
Scénario : Quentin Tarantino, David Veloz, Richard
Rutowski, Oliver Stone
Directeur photo : Robert Richardson
Producteurs : Jane Hamsher, Don Murphy,
Clayton Townsend
Montage : Brian Berdan, Hank Corwin
Acteurs : Woody Harrelson (Mickey Knox), Juliette
Lewis (Mallory Knox), Tom Sizemore (Det. Jack
Scagnetti), Rodney Dangerfield (Ed Wilson)

Sleep with Me
(August Entertainment/Acteursleberg
Productions/Paribas Film Corporation)
Présentation 10 septembre 1994 (Toronto
International Film Festival), 86 minutes
Réalisateur : Rory Kelly
Scénario : Duane Dell'Amico, Roger Hedden, Neal
Jimenez, Joe Keenan, Rory Kelly, Michael Steinberg
Directeur photo : Andrzej Sekula
Producteurs : Roger Hedden, Michael Steinberg,
Eric Stoltz
Montage : David Moritz
Acteurs : Meg Tilly (Sarah), Eric Stoltz (Joseph),
Craig Sheffer (Frank), Lewis Arquette (Minister),
Todd Field (Duane), Quentin Tarantino (Sid)

Somebody to Love
(Cabin Fever Entertainment/Initial Productions/
Lumière Pictures)
Présentation septembre, 1994 (Venice Film Festival),
sortie 27 septembre 1996, 102 minutes
Réalisateur : Alexandre Rockwell
Scénario : Sergei Bodrov, Alexandre Rockwell

Directeur photo : Robert D. Yeoman
Producteur : Lila Cazès
Montage : Elena Maganini
Acteurs : Rosie Perez (Mercedes), Harvey Keitel
(Harry Harrelson), Anthony Quinn (Emillio),
Michael DeLorenzo (Ernesto), Steve Buscemi (Mickey),
Quentin Tarantino (Barman)

Pulp Fiction
(Miramax/A Band Apart/Jersey Films)
Présentation 21 mai 1994 (Festival de Cannes),
sortie 14 octobre 1994, 154 minutes
Réalisateur : Quentin Tarantino
Scénario : Quentin Tarantino, Roger Avary
Directeur photo : Andrzej Sekula
Producteur : Lawrence Bender
Montage : Sally Menke
Acteurs : Quentin Tarantino (Jimmie), John Travolta
(Vincent Vega), Uma Thurman (Mia Wallace),
Samuel L. Jackson (Jules Winnfield), Bruce Willis
(Butch Collidge), Ving Rhames (Marsellus Wallace),
Amanda Plummer (Honey Bunny), Christopher Walken
(Captain Koons), Eric Stoltz (Lance), Harvey Keitel
(The Wolf), Tim Roth (Pumpkin)

Destiny Turns on the Radio
(Rysher Entertainment/Savoy Pictures)
Sortie 28 avril 1995, 102 minutes
Réalisateur : Jack Baran
Scénario : Robert Ramsey, Matthew Stone
Directeur photo : James L. Carter
Producteur : Gloria Zimmerman
Montage : Raúl Dávalos
Acteurs : Quentin Tarantino (Johnny Destiny), Dylan
McDermott (Julian Goddard), Nancy Travis (Lucille),
James Le Gros (Thoreau), Jim Belushi (Tuerto)

Crimson Tide *(USS Alabama)*
(Hollywood Pictures/Don Simpson-Jerry Bruckheimer)
Sortie 12 mai 1995, 116 minutes
Réalisateur : Tony Scott
Scénario : Michael Schiffer, Richard P. Henrick,
Quentin Tarantino (non crédité)
Directeur photo : Dariusz Wolski
Producteurs : Jerry Bruckheimer, Don Simpson
Montage : Chris Lebenzon
Acteurs : Denzel Washington (Hunter), Gene Hackman
(Ramsey), Matt Craven (Zimmer), George Dzundza
(Cob), Viggo Mortensen (Weps), James Gandolfini
(Lt. Bobby Dougherty)

Desperado
(Columbia Pictures Corporation/Los Hooligans
Productions)
Présentation mai 1995 (Festival de Cannes),
sortie 25 août 1995, 104 minutes
Réalisateur : Robert Rodriguez
Scénario : Robert Rodriguez
Directeur photo : Guillermo Navarro
Producteurs : Bill Borden, Robert Rodriguez
Montage : Robert Rodriguez
Acteurs : Antonio Banderas (El Mariachi), Salma Hayek
(Carolina), Joaquim de Almeida (Bucho), Steve Buscemi
(Buscemi), Quentin Tarantino (Pick-up Guy)

Four Rooms *(Groom Service)*
Film à sketches avec Allison Anders, Alexandre
Rockwell and Robert Rodriguez
Tarantino: "The Man from Hollywood"
(Miramax/A Band Apart)
Présentation 16 septembre 1995 (Toronto International
Film Festival), sortie 25 décembre 1995, 98 minutes
Réalisateur & Scénario : Quentin Tarantino
Directeur photo : Andrzej Sekula
Producteur : Lawrence Bender

Montage : Sally Menke
Acteurs : Quentin Tarantino (Chester), Jennifer Beals (Angela), Paul Calderon (Norman), Bruce Willis (Leo, non crédité)

From Dusk Till Dawn *(Une Nuit en enfer)*
(Dimension Films/A Band Apart/Los Hooligans Productions/Miramax)
Sortie 19 janvier 1996, 108 minutes
Réalisateur : Robert Rodriguez
Scénario : Quentin Tarantino, Robert Kurtzman
Directeur photo : Guillermo Navarro
Producteurs : Gianni Nunnari, Meir Teper
Montage : Robert Rodriguez
Acteurs : Quentin Tarantino (Richard Gecko), George Clooney (Seth Gecko), Harvey Keitel (Jacob Fuller), Juliette Lewis (Kate Fuller), Ernest Liu (Scott Fuller), Salma Hayek (Santanico Pandemonium)

Girl 6
(Fox Searchlight Pictures/40 Acres and a Mule Filmworks)
Sortie 22 mars 1996, 108 minutes
Réalisateur : Spike Lee
Scénario : Suzan-Lori Parks
Directeur photo : Malik Hassan Sayeed
Producteur : Spike Lee
Montage : Samuel D. Pollard
Acteurs : Theresa Randle (Girl 6), John Turturro (Murray), Quentin Tarantino (Réalisateur #1)

Curdled *(Sang-froid)*
(A Band Apart/Tinderbox Films)
Présentation 6 septembre 1996 (Toronto International Film Festival), sortie 27 septembre 1996, 88 minutes
Réalisateur : Reb Braddock
Scénario : Quentin Tarantino (partie "Gecko Brothers News Report"), Reb Braddock, John Maass
Directeur photo : Steven Bernstein
Producteurs : John Maass, Raul Puig
Producteur associé : Quentin Tarantino
Montage : Mallory Gottlieb
Acteurs : William Baldwin (Paul Guell), Angela Jones (Gabriela), Bruce Ramsay (Eduardo), Lois Chiles (Katrina Brandt), Quentin Tarantino (Richard Gecko)

Jackie Brown
(Miramax/A Band Apart/Lawrence Bender Productions/Mighty Mighty Afrodite)
Sortie 25 décembre 1997, 154 minutes
Réalisateur : Quentin Tarantino
Scénario : Quentin Tarantino
Directeur photo : Guillermo Navarro
Producteur : Lawrence Bender
Montage : Sally Menke
Acteurs : Pam Grier (Jackie Brown), Samuel L. Jackson (Ordell Robbie), Robert Forster (Max Cherry), Bridget Fonda (Melanie Ralston), Michael Keaton (Ray Nicolette), Robert De Niro (Louis Gara), Chris Tucker (Beaumont Livingston)

God Said, "Ha!"
(Oh, Brother Productions)
Présentation 14 mars 1998 (South by Southwest Film Festival), 85 minutes
Réalisateur & Scénario : Julia Sweeney
Directeur photo : John Hora
Montage : Fabienne Rawley
Producteur : Rana Joy Glickman
Producteur associé : Quentin Tarantino
Acteurs : Quentin Tarantino, Julia Sweeney (eux-mêmes)

From Dusk Till Dawn 2: Texas Blood Money
(Une Nuit en enfer 2 : Le Prix du sang)
(A Band Apart/Dimension Films/Los Hooligans Productions)
Sortie en vidéo 16 mars 1999
Réalisateur : Scott Spiegel
Scénario : Scott Spiegel, Duane Whitaker
Directeur photo : Philip Lee
Montage : Bob Murawski
Producteurs : Michael S. Murphey, Gianni Nunnari, Meir Teper
Producteurs associés : Quentin Tarantino, Lawrence Bender, Robert Rodriguez
Acteurs : Robert Patrick (Buck), Bo Hopkins (Sheriff Otis Lawson), Duane Whitaker (Luther), Muse Watson (C.W. Niles), Brett Harrelson (Ray Bob)

From Dusk Till Dawn 3: The Hangman's Daughter
(Une Nuit en enfer 3 : La Fille du bourreau)
(A Band Apart/Dimension Films/Los Hooligans Productions)
Sortie en vidéo 18 janvier 2000, 94 minutes
Réalisateur : P.J. Pesce
Scénario : Álvaro Rodríguez
Directeur photo : Michael Bonvillain
Montage : Lawrence Maddox
Producteurs : Michael S. Murphey, Gianni Nunnari, Meir Teper, H. Daniel Gross
Producteurs associés : Quentin Tarantino, Lawrence Bender, Robert Rodriguez
Acteurs : Marco Leonardi (Johnny Madrid), Michael Parks (Ambrose Bierce), Temuera Morrison (The Hangman), Rebecca Gayheart (Mary Newlie), Ara Celi (Esmeralda)

Little Nicky
(Avery Pix/Happy Madison Productions/New Line Cinema/RSC Media/Robert Simonds Productions)
Sortie 10 novembre 2000, 90 minutes
Réalisateur : Steven Brill
Scénario : Tim Herlihy, Adam Sandler, Steven Brill
Directeur photo : Theo van de Sande
Montage : Jeff Gourson
Producteurs : Jack Giarraputo, Robert Simonds
Acteurs : Adam Sandler (Nicky), Patricia Arquette (Valerie Veran), Harvey Keitel (Dad), Rhys Ifans (Adrian), Tommy "Tiny" Lister (Cassius), Quentin Tarantino (Deacon)

Iron Monkey
Nouvelle version du film de 1993 Siu nin Wong Fei Hung chi : Tit ma lau
(Film Workshop/Golden Harvest Company/Long Shong Pictures/Paragon Films)
Sortie 12 octobre 2001, 90 minutes
Réalisateur : Woo-Ping Yuen
Scénario : Tan Cheung, Tai-Mok Lau (Tai-Muk Lau), Elsa Tang (Pik-yin Tang), Hark Tsui, Richard Epcar
Directeurs photo : Chi-Wai Tam, Arthur Wong
Montage : Chi Wai Chan, Stephanie Johnson, Angie Lam, Marco Mak, John Zeitler
Producteur : Quentin Tarantino
Acteurs : Rongguang Yu (Dr. Yang/Iron Monkey), Donnie Yen (Wong Kei-Ying), Jean Wang (Miss Orchid), Sze-Man Tsang (Wong Fei-Hong)

Kill Bill : Volume 1
(Miramax/A Band Apart/Super Cool ManChu)
Sortie 10 octobre 2003, 111 minutes
Réalisateur : Quentin Tarantino
Scénario : Quentin Tarantino
Directeur photo : Robert Richardson
Producteur : Lawrence Bender
Montage : Sally Menke
Acteurs : Uma Thurman (la Mariée), Lucy Liu (O-Ren Ishii), Vivica A. Fox (Vernita Green), Daryl Hannah (Elle Driver), David Carradine (Bill), Michael Madsen (Budd), Julie Dreyfus (Sofie Fatale)

Kill Bill : Volume 2
(Miramax/A Band Apart/Super Cool ManChu)
Sortie 16 avril 2004, 137 minutes
Réalisateur : Quentin Tarantino
Scénario : Quentin Tarantino
Directeur photo : Robert Richardson
Producteur : Lawrence Bender
Montage : Sally Menke
Acteurs : Daryl Hannah (Elle Driver), David Carradine (Bill), Lucy Liu (O-Ren Ishii), Uma Thurman (la Mariée), Vivica A. Fox (Vernita Green)

My Name Is Modesty: A Modesty Blaise Adventure
(Miramax)
Sortie vidéo 28 septembre 2004, 78 minutes
Réalisateur : Scott Spiegel
Scénario : Lee Batchler, Janet Scott Batchler
Directeur photo : Vivi Dragan Vasile
Montage : Michelle Harrison
Producteurs : Marcelo Anciano, Michael Berrow, Ted Nicolaou, Sook Yhun (non crédité)
Producteurs associés : Quentin Tarantino (non crédité), Paul Berrow, Michelle Sy
Acteurs : Alexandra Staden (Modesty Blaise), Nikolaj Coster-Waldau (Miklos), Raymond Cruz (Raphael Garcia), Fred Pearson (Professor Lob)

Daltry Calhoun
(L. Driver Productions/Map Point Pictures/Miramax)
Sortie 25 septembre 2005, 100 minutes
Réalisatrice & Scénario : Katrina Holden Bronson

Les dates de sortie des films sont les dates de sortie aux États-Unis.

Directeur photo : Matthew Irving
Montage : Daniel R. Padgett
Productrice : Danielle Renfrew
Producteurs associés : Quentin Tarantino, Erica Steinberg
Acteurs : Elizabeth Banks (May), Johnny Knoxville (Daltry Calhoun), Beth Grant (Dee), Laura Cayouette (Wanda Banks)

Hostel

(Hostel/International Production Company/Next Entertainment/Raw Nerve)
Sortie 6 janvier 2006, 94 minutes
Réalisateur & Scénario : Eli Roth
Directeur photo : Milan Chadima
Montage : George Folsey Jr.
Producteurs : Chris Briggs, Mike Fleiss, Eli Roth
Producteurs associés : Quentin Tarantino, Scott Spiegel, Boaz Yakin
Acteurs : Jay Hernandez (Paxton), Derek Richardson (Josh), Eythor Gujonsson (Oli), Barbara Nedeljakova (Natalya)

Freedom's Fury

Film documentaire
(WOLO Entertainment/Cinergi Pictures Entertainment/Moving Picture Institute)
Sortie 7 septembre 2006 (Hongrie), 90 minutes
Réalisateurs : Colin K. Gray, Megan Raney
Scénario : Colin K. Gray
Directeur photo : Megan Raney
Montage : Michael Rogers
Producteur : Kristine Lacey
Producteurs associés : Quentin Tarantino, Lucy Liu, Amy Sommer, Andrew G. Vajna

Hostel : Part II

(Lionsgate/Screen Gems/Next Entertainment/Raw Nerve/International Production Company)
Sortie 8 juin 2007, 94 minutes
Réalisateur & Scénario : Eli Roth
Directeur photo : Milan Chadima
Montage : George Folsey Jr.
Producteurs : Chris Briggs, Mike Fleiss, Eli Roth
Producteurs associés : Quentin Tarantino, Leifur B. Dagfinnsson, Scott Spiegel, Boaz Yakin
Acteurs : Lauren German (Beth), Roger Bart (Stuart), Heather Matarazzo (Lorna), Bijou Phillips (Whitney), Richard Burgi (Todd)

Death Proof (Boulevard de la mort)

Au départ, partie du programme double "Grindhouse" avec "Planet Terror"
(The Weinstein Company/Dimension Films/Troublemaker Studios/Rodriguez Int. Pictures)
Présentation 22 mai 2007 (Festival de Cannes), sortie 21 juillet 2007, 114 minutes
Réalisateur : Quentin Tarantino
Scénario : Quentin Tarantino
Directeur photo : Quentin Tarantino
Producteurs : Quentin Tarantino, Elizabeth Avellán,

Robert Rodriguez, Erica Steinberg
Montage : Sally Menke
Acteurs : Kurt Russell (Stuntman Mike), Zoë Bell (elle-même), Rosario Dawson (Abernathy), Vanessa Ferlito (Butterfly), Sydney Tamiia Poitier (Jungle Julia), Tracie Thoms (Kim), Rose McGowan (Pam), Jordan Ladd (Shanna), Quentin Tarantino (Warren)

Planet Terror (Planète Terreur)

Au départ, partie du programme double "Grindhouse" avec "Death Proof"
(The Weinstein Company/Dimension Films/Troublemaker Studios/Rodriguez Int. Pictures)
Sortie 15 octobre 2007, 105 minutes
Réalisateur : Robert Rodriguez
Scénario : Robert Rodriguez
Directeur photo : Robert Rodriguez
Producteurs : Quentin Tarantino, Robert Rodriguez, Elizabeth Avellan, Erica Steinberg
Montage : Ethan Maniquis, Robert Rodriguez
Acteurs : Rose McGowan (Cherry Darling), Freddy Rodriguez (Wray), Josh Brolin (Dr. William Block), Marley Shelton (Dr. Dakota Block), Quentin Tarantino (violeur #1/Zombie)

Sukiyaki Western Django

(A-Team/Dentsu/Geneon Entertainment/Nagoya Broadcasting Network/Sedic International /Shogakukan/Sony Pictures Entertainment /Sukiyaki Western Django Film Partners/TV Asahi /Toei Company/Tokyu Recreation)
Sortie 15 septembre 2007 (Japon), 121 minutes
Réalisateur : Takashi Miike
Scénario : Takashi Miike, Masa Nakamura
Directeur photo : Toyomichi Kurita
Montage : Yasushi Shimamura
Producteurs : Nobuyuki Tohya, Masao Ôwaki
Acteurs : Quentin Tarantino (Ringo), Kôichi Satô (Taira no Kiyomori), Yûsuke Iseya (Minamoto no Yoshitsune), Masanobu Andô (Yoichi), Kaori Momoi (Ruriko)

Hell Ride

(Dimension Films)
Présentation 21 janvier 2008 (Sundance Film Festival), sortie 8 août 2008, 84 minutes
Réalisateur & Scénario : Larry Bishop
Directeur photo : Scott Kevan
Montage : Blake West, William Yeh
Producteurs : Larry Bishop, Shana Stein, Michael Steinberg
Producteurs associés : Quentin Tarantino, Bob Weinstein, Harvey Weinstein
Acteurs : Julia Jones (Cherokee Kisum), Larry Bishop (Pistolero), Leonor Varela (Nada), Austin Galuppo (Sonny)

Diary of the Dead (Chronique des morts-vivants)

(Artfire Films/Romero-Grunwald Productions)
Sortie 22 février 2008, 95 minutes
Réalisateur : George A. Romero
Scénario : George A. Romero

Directeur photo : Adam Swica
Montage : Michael Doherty
Producteurs : Sam Englebardt, Peter Grunwald, Ara Katz, Art Spigel
Acteurs : Quentin Tarantino (apparition), Michelle Morgan (Debra Moynihan), Joshua Close (Jason Creed), Shawn Roberts (Tony Ravello), Amy Lalonde (Tracy Thurman)

Inglourious Basterds

(The Weinstein Company/Universal/A Band Apart/Studio Babelsberg/Visiona Romantica)
Sortie 21 août 2009, 153 minutes
Réalisateur : Quentin Tarantino
Scénario : Quentin Tarantino
Directeur photo : Robert Richardson
Producteur : Lawrence Bender
Montage : Sally Menke
Acteurs : Brad Pitt (Lt. Aldo Raine), Mélanie Laurent (Shosanna), Christoph Waltz (Col. Hans Landa), Eli Roth (Sgt. Donny Donowitz), Michael Fassbender (Lt. Archie Hicox), Diane Kruger (Bridget von Hammersmark), Quentin Tarantino (Apparitions en premier nazi scalpé et soldat américain)

Kill Bill : The Whole Bloody Affair

Réédition de Kill Bill Volumes 1 and 2 regroupés (A Band Apart)
Sortie 27 mars 2011, 247 minutes

Django Unchained

(The Weinstein Company/Columbia Pictures)
Sortie 25 décembre 2012, 165 minutes
Réalisateur : Quentin Tarantino
Scénario : Quentin Tarantino
Directeur photo : Robert Richardson
Producteurs : Reginald Hudlin, Pilar Savone, Stacey Sher
Montage : Fred Raskin
Acteurs : Jamie Foxx (Django), Christoph Waltz (Dr. King Schultz), Leonardo DiCaprio (Calvin Candie), Kerry Washington (Broomhilda von Shaft), Samuel L. Jackson (Stephen), Walton Goggins (Billy Crash), Quentin Tarantino (apparition en employé de la mine)

She's Funny That Way (Broadway Therapy)

(Lagniappe Films/Lailaps Pictures/Venture Forth)
Présentation 29 août 2014 (Venise Film Festival), sortie 21 août 2015
Réalisateur : Peter Bogdanovich
Scénario : Peter Bogdanovich, Louise Stratten
Directeur photo : Yaron Orbach
Montage : Nick Moore, Pax Wasserman
Producteurs : George Drakoulias, Logan Levy, Louise Stratten, Holly Wiersma
Acteurs : Quentin Tarantino (lui-même), Imogen Poots (Isabella Patterson), Owen Wilson (Arnold Albertson), Jennifer Aniston (Jane Claremont), Kathryn Hahn (Delta Simmons), Will Forte (Joshua Fleet), Rhys Ifans (Seth Gilbert)

The Hateful Eight *(Les Huit Salopards)*
(Double Feature/FilmColony)
Sortie 30 décembre 2015, 187 minutes
Réalisateur : Quentin Tarantino
Scénario : Quentin Tarantino
Directeur photo : Robert Richardson
Producteurs : Richard N. Gladstein, Shannon McIntosh,
Stacey Sher
Montage : Fred Raskin
Acteurs : Samuel L. Jackson (Major Marquis Warren),
Kurt Russell (John Ruth), Jennifer Jason Leigh (Daisy
Domergue), Walton Goggins (Sheriff Chris Mannix),
Tim Roth (Oswaldo Mobray), Michael Madsen
(Joe Gage), Bruce Dern (General Sandy Smithers),
James Parks (O.B.), Channing Tatum (Jody)

TÉLÉVISION/INTERNET

The Golden Girls
Série télé, un épisode ("Sophia's Wedding : Part 1")
(Witt-Thomas-Harris Productions/Touchstone Television)
Première diffusion 19 novembre 1988
Réalisateur : Terry Hughes
Scénario : Susan Harris, Barry Fanaro, Mort Nathan
Acteurs : Bea Arthur (Dorothy Zbornak), Betty White
(Rose Nylund), Rue McClanahan (Blanche Devereaux),
Estelle Getty (Sophia Petrillo), Jack Clifford
(Max Weinstock), Quentin Tarantino (sosie d'Elvis)

All-American Girl
Série télé, un épisode ("Pulp Sitcom")
(Sandollar Television/Heartfelt Productions/
Touchstone Television)
Première diffusion 22 février 1995, 30 minutes
Réalisateur : Terry Hughes
Scénario : Tim Maile, Douglas Tuber
Directeur photo : Daniel Flannery
Producteur : Bruce Johnson
Montage : Jimmy B. Frazier
Acteurs : Margaret Cho (Margaret Kim), Jodi Long
(Katherine Kim), Clyde Kusatsu (Benny Kim), Amy
Hill (Yung-hee Kim), Quentin Tarantino (Desmond)

ER *(Urgences)*
Série télé, un épisode ("Motherhood")
(Constant c Productions/Amblin Television
/Warner Bros. Television)
Première diffusion 11 mai 1995, 48 minutes
Réalisateur : Quentin Tarantino
Scénario : Lydia Woodward
Directeur photo : Richard Thorpe
Montage : Jim Gross
Producteurs : Christopher Chulack, Paul Manning
Acteurs : Anthony Edwards (Mark Greene), George
Clooney (Doug Ross), Sherry Stringrield (Susan Lewis),
Noah Wyle (John Carter), Julianna Margulies (Carol
Hathaway), Eriq La Salle (Peter Benton)

Dance Me to the End of Love
Clip vidéo de la chanson de Leonard Cohen
(A-Acme Film Works)
Première diffuxion online 27 octobre 1995, 6 minutes
Réalisateur : Aaron A. Goffman
Scénario : Quentin Tarantino, Aaron A. Goffman
Directeur photo : Rand Vossler
Producteur : Aaron A. Goffman
Acteurs : Quentin Tarantino (Groom), Sylvia Binsfeld
(Bride), Nick Rafter (Groom in Chains), Laura Bradley
(Girl), Marc Anthony-Reynolds (Boy)

Saturday Night Live
Émission télé ("Quentin Tarantino/Smashing Pumpkins")
(Broadway Video, NBC Productions)
Première diffusion 11 novembre 1995 (90 minutes)
Réalisateur : Beth McCarthy-Miller
Auteurs : Ross Abrash, Cindy Caponera, James Downey,
Hugh Fink, Tom Gianas, Tim Herlihy, Steve Higgins,
Norm Hiscock, Steve Koren, Erin Maroney, Adam McKay,
Dennis McNicholas, Lorne Michaels, Lori Nasso, Paula
Pell, Colin Quinn, Frank Sebastiano, Andrew Steele,
Fred Wolf
Direction artistique : Peter Baran
Producteur : Lorne Michaels
Montage : Ian Mackenzie
Avec : Quentin Tarantino, Jim Breuer,
Will Ferrell, Darrell Hammond, David Koechner,
Norm MacDonald, Mark McKinney

Alias
Série télé, quatre épisodes ("The Box : Part 1",
"The Box : Part 2", "Full Disclosure", "After Six")
premières diffusions du 20 janvier 2002 au 15 février
2004, chaque épisode 45 minutes
(Touchstone Television/Bad Robot)
Réalisateur : Jack Bender
Scénario : J. J. Abrams, Jesse Alexander,
John Eisendrath
Directeur photo : Michael Bonvillain
Montage : Virginia Katz
Producteurs : Jesse Alexander, Sarah Caplan,
Jeff Pinkner, Chad Savage
Acteurs : Quentin Tarantino (McKenas Cole),
Jennifer Garner (Sydney Bristow), Ron Rifkin
(Arvin Sloane), Michael Vartan (Michael Vaughn),
Carl Lumbly (Marcus Dixon)

CSI : Crime Scene Investigation *(Les Experts)*
Série télé, deux épisodes ("Grave Danger : Part 1"
et "Grave Danger : Part 2")
(Jerry Bruckheimer Television/CBS Productions
/Alliance Atlantis Productions)
Première diffusion 19 mai 2005, 120 minutes
par épisode
Réalisateur & Auteur : Quentin Tarantino
Scénario : Naren Shankar, Anthony E. Zuiker,
Carol Mendelsohn
Directeur photo : Michael Slovis
Montage : Alec Smight
Producteurs : Kenneth Fink, Richard J. Lewis,
Louis Milito

Acteurs : William Petersen (Gil Grissom), Marg
Helgenberger (Catherine Willows), Gary Dourdan
(Warrick Brown), George Eads (Nick Stokes),
Jorja Fox (Sara Sidle)

Duck Dodgers
Série télé, un épisode en deux parties ("Master
& Disaster" and "All in the Crime Family")
(Warner Bros. Animation)
Première diffusion 21 octobre 2005
Réalisateurs : Spike Brandt, Tony Cervone
Scénario : Kevin Seccia, Mark Banker
Direction artistique : Mark Whiting
Producteur : Bobbie Page
Acteurs : Quentin Tarantino (voix de Master Moloch),
Joe Alaskey (Duck Dodgers/Martian Commander X-2
/Rocky), Bob Bergen (The Eager Young Space Cadet
/Mummy)

The Muppets' Wizard of Oz *(Le Magicien d'Oz des Muppets)*
(Jim Henson Company/Fox Television Studios
/Touchstone Television/Muppets Holding Company
/Muppet Movie Productions)
Première diffusion 20 mai 2005, 120 minutes
Réalisateur : Kirk R. Thatcher
Scénario : Debra Frank, Steve L. Hayes,
Tom Martin, Adam F. Goldberg
Directeur photo : Tony Westman
Montage : Gregg Featherman
Producteurs : Martin G. Baker, Warren Carr
Acteurs : Quentin Tarantino (réalisateur),
Ashanti (Dorothy Gale), Jeffrey Tambor (Wizard),
David Alan Grier (Uncle Henry), Queen Latifah
(Aunt Em), Steve Whitmire (voix de Kermit),
Dave Goelz (voix de Gonzo), Eric Jacobson
(voix de Miss Piggy)

#15SecondStare
Série télé, 14 épisodes
(Crypt TV)
Première diffusion 23 mars 2016,
chaque épisode 1 minute
(Seuls les participants à plus d'un épisode
sont notés ici)
Réalisateurs : Wesley Alley, Steven Shea
Scénario : Wesley Alley
Producteurs : Jack Davis, Eli Roth, Wesley Alley
Producteurs associés : Quentin Tarantino, Jason Blum,
Vanessa Hudgens, Katie Krentz, Gaspar Noé, Jordan
Peele, Joel Zimmerman
Acteurs : Brian C. Chenworth, Breeanna Judy, Ellen
Smith

PAGE DE DROITE : Portrait par Nicolas Guérin, 2013.

Les dates de sortie des films sont les dates de sortie aux États-Unis.

« Quand je fais un film,
je ne fais rien d'autre.
Tout tourne autour
du film. Je n'ai pas
de femme. Je n'ai pas
d'enfant. Rien ne peut
se mettre en travers
de mon chemin...
J'ai fait le choix, il y a
longtemps, de suivre
cette route tout seul.
C'est mon temps à moi.
C'est mon temps pour
faire des films. »

BIBLIOGRAPHIE SÉLECTIVE

LIVRES EN FRANÇAIS

Marsiani, Alberto. *Quentin Tarantino : les films du réalisateur qui a réinventé le cinéma.* Gremese International, 2016.

Burdeau, Emmanuel. *Quentin Tarantino : un cinéma déchaîné.* Capricci, 2016.

Sauvage, Célia. *Critiquer Quentin Tarantino est-il raisonnable ?* Vrin, 2013.

Jason Bailey. *Pulp Fiction, toute l'histoire du chef d'œuvre de Quentin Tarantino.* Huginn & Muninn, 2014.

Charyn, Jerome. *Tarantino.* Denoël, 2009.

Jean-Pierre Deloux. *Quentin Tarantino, fils de pulp.* Fleuve Noir, 1999.

Tarantino, Quentin. *Pulp Fiction, scénario.* 10/18, 1995.

Tarantino, Quentin. *Reservoir Dogs / True Romance, scénarios.* 10/18, 1996.

Tarantino, Rockwell, Rodriguez, Anders. *Four Rooms, scénario.* 10/18, 1996.

Tarantino, Quentin. *Une Nuit en enfer, scénario.* 10/18, 1996.

Tarantino, Quentin. *Jackie Brown, scénario.* 10/18, 1998.

Tarantino, Quentin. *Inglourious Basterds, scénario.* Robert Laffont, 2009.

Tarantino, Quentin. *Django Unchained, scénario.* Urban Comics, 2014.

LIVRES EN ANGLAIS

Bailey, Jason. *Pulp Fiction: The Complete Story of Quentin Tarantino's Masterpiece.* Minneapolis: Voyageur Press, 2013.

Bernard, Jami. *Quentin Tarantino: The Man and His Movies.* New York: HarperPerennial, 1996.

Biskind, Peter. *Down and Dirty Pictures: Miramax, Sundance and the Rise of Independent Film.* London: Bloomsbury, 2016.

Carradine, David. *The Kill Bill Diary: The Making of a Tarantino Classic as Seen Through the Eyes of a Screen Legend.* New York: Bloomsbury Methuen Drama, 2007.

Clarkson, Weasley. *Quentin Tarantino: The Man, the Myths and his Movies.* London: John Blake, 2007.

Dawson, Jeff. *Quentin Tarantino: The Cinema of Cool.* New York: Applause, 1995.

Grier, Pam and Andrea Cagen. *Foxy: My Life in Three Acts.* New York: Grand Central Publishing, 2010.

Mottram, James. *The Sundance Kids: How the Mavericks Took Back Hollywood.* London: Faber & Faber, 2011.

Peary, Gerald, ed. *Quentin Tarantino: Interviews.* Jackson: University Press of Mississippi, 2013.

Roston, Tom. *I Lost it at the Video Store: A Filmmakers' Oral History of a Vanished Era.* Raleigh: The Critical Press, 2015.

Sherman, Dale. *Quentin Tarantino FAQ: Everything Left to Know about the Original Reservoir Dog.* Milwaukee, Hal Leonard, 2015.

Waxman, Sharon. *Rebels on the Backlot: Six Maverick Directors and How They Conquered the Hollywood Studio System.* New York: HarperCollins, 2005.

Death Proof: A Screenplay. New York: Weinstein Books, 2007.

INTERVIEWS ET ARTICLES

Amis, Martin. "The Writing Life: A Conversation Between Martin Amis and Elmore Leonard." *Los Angeles Times*, Feb. 1, 1998.

Appelo, Tim. "*Django* to the Extreme: How Panic Attacks and DiCaprio's Real Blood Made a Slavery Epic Better." *Hollywood Reporter*, January 10, 2013.

Bailey, Jason. "Imagining the Quentin Tarantino-Directed *Natural Born Killers* That Could Have Been." *Flavorwire*, August 25, 2014.

Bailey, Jason. "Quentin Tarantino is a DJ." *The Atlantic*, October 14, 2014.

Baron, Zach. "Quentin Tarantino Explains the Link Between His *Hateful Eight* and #BlackLivesMatter." *GQ*, December 8, 2015.

Beaumont-Thomas, Ben. "Quentin Tarantino Says Next Film Will be Another Western." *Guardian*, November 27, 2013.

Becker, Josh. "Quentin Tarantino Interview on the Set of *Reservoir Dogs.*" www.beckerfilms.com, 1992.

Biskind, Peter. "The Return of Quentin Tarantino." *Vanity Fair*, October 14, 2003.

Brody, Richard. "*Inglourious* in Europe." *New Yorker*, August 20, 2009.

Brown, Lane. "In Conversation: Quentin Tarantino." *Vulture*, August 23, 2015.

Buckmaster, Luke. "Quentin Tarantino: Australian Films had a Big Influence on my Career." *Guardian*, January 15, 2016.

Carroll, Kathleen. "*Reservoir Dogs* Overflows with Violence: 1992 Review." *New York Daily News*, October 23, 1992.

Carroll, Larry. "*Inglourious Basterds* Exclusive: Brad Pitt Says Movie 'Was a Gift.'" www.mtv.com, August 19, 2009.

Ciment, Michel and Hubert Niogret. "Interview with Quentin Tarantino." Translated by T. Jefferson Kline. *Positif*, November, 1994.

Dargis, Manohla. "Tarantino Avengers in Nazi Movieland." *New York Times*, August 20, 2009.

Debby, David. "Americans in Paris." *New Yorker*, August 24, 2009.

Ebert, Roger. "Reviews: *Chungking Express.*" rogerebert.com, March 15, 1996.

Fleming, Michael. "Playboy Interview: Quentin Tarantino." *Playboy*, November, 2003.

Fleming, Michael. "Playboy Interview: Quentin Tarantino." *Playboy*, December 3, 2012.

Fleming Jr, Mike. "Quentin Tarantino on Retirement, Grand 70mm Intl Plans for *The Hateful Eight.*" www.deadline.com, November 10, 2014.

Galloway, Stephen. "Director Roundtable: 6 Auteurs on Tantrums, Crazy Actors and Quitting While They're Ahead." *Hollywood Reporter*, November 28, 2012.

Garrat, Sheryl. "Quentin Tarantino: No U-turns." *Telegraph*, September 15, 2007.

Gettell, Oliver. "Quentin Tarantino and Robert Rodriguez Look Back on *From Dusk Till Dawn.*" *Entertainment Weekly*, November 3, 2016.

Gilbey, Ryan. "*Inglourious Basterds.*" *New Statesman*, August 20, 2009.

Gordon, Devin. "Q&A: Quentin Tarantino." *Newsweek*, April 4, 2007.

Grow, Kory. "Ennio Morricone Goes Inside *Hateful Eight* Soundtrack." *Rolling Stone*, January 11, 2016.

Haselbeck, Sebastian. "An Interview with Kurt Russell." The Quentin Tarantino Archives [www.wiki.tarantino.info].

Hirschberg, Lynn. "The Two Hollywoods; The Man Who Changed Everything." *New York Times*, November 16, 1997.

Hiscock, John. "Quentin Tarantino: I'm Proud of my Flop." *Telegraph*, April 27, 2007.

Hoberman, J. "Quentin Tarantino's *Inglourious Basterds* Makes Holocaust Revisionism Fun." *Village Voice*, August 18, 2009.

Horn, John. "Quentin Tarantino Looks Back: *Reservoir Dogs* a Father-Son Story." *Los Angeles Times*, February 12, 2013.

Kerr, Sarah. "Rain Man: *Pulp Fiction*—A Film by Quentin Tarantino." *New York Review of Books*, April 6, 1995.

Jagernauth, Kevin. "Quentin Tarantino Says he Didn't Fall Out with Will Smith Over *Django Unchained* Plus New Pic from the Film." *IndieWire*, November 15, 2012.

Jakes, Susan. "Blood Sport." *Time*, September 30, 2002.

Labrecque, Jeff. "Quentin Tarantino Discusses his Plan to Retire and the Idea of Having Children." *Entertainment Weekly*, December 22, 2015.

La Franco, Robert. "Robert Rodriguez." *Wired*, April 1, 2007.

Lane, Anthony. "Love Hurts." *New Yorker*, January 7, 2013.

Lewis, Andy. "Making of *Hateful Eight*: How Tarantino Braved Sub-Zero Weather and a Stolen Screener." *Hollywood Reporter*, January 7, 2016.

Lim, Dennis. "*Inglourious* Actor Tastes the Glory." *New York Times*, August 12, 2009.

Longworth, Karina. "Quentin Tarantino Emerges with his Most Daring Film Yet." *Village Voice*, December 19, 2012.

MacFarquhar, Larissa. "The Movie Lover." *New Yorker*, October 20, 2003.

McGrath, Charles. "Quentin's World." *New York Times*, December 19, 2012.

Morgan, Kim. "Basterds, Sam Fuller and Talking to Tarantino." *Huffington Post*, September 19, 2009.

Nashawaty, Chris. "*Jackie Brown*' Blu-ray: Pam Grier talks Quentin Tarantino's Film." *Entertainment Weekly*, October 4, 2011.

Pappademas, Alex. "Triumph of His Will." *GQ*, June 30, 2009.

Pavlus, John. "A Bride Vows Revenge." *American Cinematographer*, October 2003.

Perez, Rodrigo. "What's Left? Quentin Tarantino Talks the Remaining Movies he Could Make Before Retirement." *IndieWire*, December 15, 2015.

Pride, Ray. "Interview Flashback: Quentin Tarantino Talks "Jackie Brown" and Quentin Tarantino. www.newcityfilm.com, December 29, 1997.

Rose, Charlie. "Quentin Tarantino on his Popular Film, *Pulp Fiction.*" www.charlierose.com, October 14, 1994.

Rosenbaum, Jonathan. "Recommended Reading: Daniel Mendelsohn on the New Tarantino." www.jonathanrosenbaum.net, August 17, 2009.

Salisbury, Brian. "The Badass Interview: Robert Forster on *Jackie Brown*'s Latest Home Video Release." www.birthmoviesdeath.com, October 3, 2011.

Sancton, Julian. "Tarantino is One Basterd Who Knows How to Please Himself." *Vanity Fair*, August 20, 2009.

Scott, A.O. "The Black, the White and the Angry." *New York Times*, December 24, 2012.

Scott, A.O. "Review: Quentin Tarantino's *The Hateful Eight* Blends Verbiage and Violence." *New York Times*, Dec. 24, 2015.

Scherstuhl, Alan. "Quentin Tarantino's *The Hateful Eight* Refuses to Play Nice." *LA Weekly*, December 15, 2015.

Sciretta, Peter. "Quentin Tarantino Talks Vega Brothers, the *Pulp Fiction* and *Reservoir Dogs* Sequel/Prequel." www.slashfilm.com, April 7, 2007.

Seal, Mark. "Cinema Tarantino: The Making of *Pulp Fiction*." *Vanity Fair*, February 13, 2013.

Secher, Benjamin. "Quentin Tarantino Interview: 'All my Movies are Achingly Personal.'" *Telegraph*, February 8, 2010.

Singer, Matt. "In Praise of *Death Proof*, One of Quentin Tarantino's Best Movies." *IndieWire*, December 28, 2012.

Solomons, Jason. "Interview with Sally Menke: 'Quentin Tarantino and I Clicked.'" *Guardian*, December 6, 2009.

Sordeau, Henri. "Quentin Tarantino Talks *Inglourious Basterds*." www.rottentomatoes.com, August 11, 2009.

Spitz, Marc. "True Romance: 15 Years Later." *Maxim*, April 25, 2008.

Stasukevich, Iain. "Once Upon a Time in the South." *American Cinematographer*, January 2013.

Tapley, Kristopher. "*The Hateful Eight*: How Ennio Morricone Wrote His First Western Score in 40 Years." *Variety*, Dec. 11, 2015.

Taylor, Ella. "Quentin Tarantino: The *Inglourious Basterds* Interview." *Village Voice*, August 18, 2009.

Thomson, David. "*Django Unchained* is All Talk with Nothing to Say." *New Republic*, January 5, 2013.

Tyrangiel, Josh. "The Tao of Uma." *Time*, September 22, 2003.

Verini, Bob. "Tarantino: Man with Sure Hand on his Brand." *Variety*, November 7, 2012.

Walker, Tim. "Michael Madsen Interview: How *The Hateful Eight* Star Ducked and Dived his Way Through Hollywood." *Independent*, January 2, 2016.

Wise, Damon. "'Resist the Temptation to Ridicule This': Quentin Tarantino Talks *Grindhouse*." *Guardian*, May 4, 2007.

Wise, Damon. "*The Hateful Eight*: A Rocky Ride from Script to Screen." *Financial Times*, December 18, 2015.

Whitney, Erin. "Quentin Tarantino Wanted to Massively 'Subvert' James Bond with *Casino Royale*." *Huffington Post*, August 24, 2015.

Wooton, Adrian. "Quentin Tarantino Interview (I) with Pam Grier, Robert Forster and Lawrence Bender." *Guardian*, January 5, 1998.

Wright, Benjamin. "A Cut Above: An Interview with *Django Unchained* Editor Fred Raskin." *Slant*, January 15, 2013.

Yuan, Jada. "Tarantino's Leading Man." *Vulture*, August 25, 2015.

"Death Proof: Quentin Tarantino Interview." http://www.indielondon.co.uk/Film-Review/death-proof-quentin-tarantino-interview.

Interview on *The Rachel Maddow Show*. NBC, February 11, 2010. [http://www.nbcnews.com/id/35367550/ns/msnbc-rachel_maddow_show/print/1/displaymode/1098/].

"The Lost, Unmade and Possible Future Films of Quentin Tarantino." www.indiewire.com, March 27, 2013.

"Quentin Tarantino: 'It's a corrupted cinema.'" *The Talks*, October 28, 2013.

"Quentin Tarantino, 'Unchained' and Unruly." http://www.npr.org/2013/01/02/168200139/quentin-tarantino-unchained-and-unruly.

Reservoir Dogs: Ten Years, directed by Quentin Tarantino. Artizan, 2002 [DVD]

"ZDF Quentin Tarantino Interview (*Kill Bill*)." youtube.com/watch?v=blGhtVN2lrY.

CRÉDITS PHOTOGRAPHIQUES

H: Haut B: Bas C: Centre G: Gauche D: Droite
ALAMY: 10 Travel images / Alamy Stock Photo 14, 62H, 83, 84G, 87H, 88H, 90-91, 97, 98H, 118, 173, 182, 188G, 211, 231H, 239B Collection Christophel / Alamy Stock Photo 16, 20, 29B, 39, 41, 45, 56-57, 72, 78-79, 108, 113H, 115H, 120-121, 122, 128, 129, 134B, 135, 140, 141, 142-143, 144, 147, 148G, 149, 150H, 151H, 151CG, 151D, 152-153, 156-157, 158, 159B, 163B, 167, 168-169, 191, 196, 198-199, 200BG, 210, 221H, 222B, 223G, 224B AF archive / Alamy Stock Photo 21B, 36BG, 36D, 59BG, 130, 170H, 171, 184, 188D, 190, 192D, 193H, 206-207, 230H, 232, 233H, 236G, 238 Everett Collection, Inc. / Alamy Stock Photo 22-23 WENN Ltd / Alamy Stock Photo 24 ScreenProd / Photononstop / Alamy Stock Photo 26 Francis Specker / Alamy Stock Photo 30 trekandshoot / Alamy Stock Photo 34-35 Alan Wylie / Alamy Stock Photo 36BC Lifestyle pictures / Alamy Stock Photo 49, 92B, 139D, 176, 183 United Archives GmbH / Alamy Stock Photo 51 Trinity Mirror / Mirrorpix / Alamy Stock Photo 65, 67, 81, 93H, 104B, 133H, 151BG, 154, 212, 218-219, 225H, 225B Moviestore collection Ltd / Alamy Stock Photo 71, 76-77H, 123H, 170B Pictorial Press Ltd / Alamy Stock Photo 82B, 98B, 101, 131, 144-145, 155B, 159H, 161, 172HG, 177G, 186, 187H, 187B, 189, 194-195, 197, 200H, 200BD, 202-203, 204, 216B, 226-227, 231B, 237 Photo 12 / Alamy Stock Photo 89B, 150B, 160, 192G, 193B, 205 Entertainment Pictures / Alamy Stock Photo 123 Delacorte Press 179H REUTERS / Alamy Stock Photo 228, 234-235 Atlaspix / Alamy Stock Photo GETTY: 2, 54-55 Levon Biss/Contour by Getty Images 6 Ted Thai/The LIFE Picture Collection/Getty Images 7, 8-9 Patrick Fraser Contour by Getty Images 11H, 95 Martyn Goodacre/Getty Images 11B, 15H Kevin Winter/Getty Images 12 KMazur/WireImage 13BG, 114HG Jeff Kravitz/FilmMagic/Getty 13BD Ron Galella, Ltd./WireImage/Getty 17 Spencer Weiner/Los Angeles Times via Getty Images 19, 246-247 Robert Gauthier/Los Angeles Times via Getty Images 27H CBS Photo Archive/Getty Images 27B Mondadori Portfolio by Getty Images 28 Silver Screen Collection/Getty Images 32 Frazer Harrison/Getty Images 33 David Herman/Hulton Archive/Getty Images 37 DON EMMERT/AFP/Getty Images 42H Christian SIMONPIETRI/Sygma via Getty Images 43 Warner Bros. Pictures/Sunset Boulevard/Corbis via Getty Image 94G Pool BENAINOUS/DUCLOS/Gamma-Rapho via Getty Images 94D Stephane Cardinale/Sygma via Getty Images 112 Andreas Rentz/Getty Images 119 Michael Birt/Contour by Getty Images 124 Michael Ochs Archives/Getty Images 179B Jeff Vespa/WireImage for The Weinstein Company 229 Amanda Edwards/WireImage 230 Kevin Mazur/Getty Images for Universal Music 245 Jeffrey Mayer/WireImage 242 William Callan/Contour by Getty Images 253, 256 Nicolas Guerin/Contour by Getty Images Mary Evans Picture Library: 89H Courtesy Everett Collection / Mary Evans 96B Ronald Grant Archive / Mary Evans Photofest: 64D Miramax Films/ Photofest 75 Live Entertainment / Photofest 180H Andrew Cooper/ Dimension Films/Photofest Rex Features: 13H Michael Buckner/Variety/REX/Shutterstock 21H Spelling/REX/Shutterstock 31, 50, 114D, 126-127, 133B, 134H, 138, 174-175, 177D, 201, 222H, 224H Moviestore/REX/Shutterstock 36HG Films Du Carrosse/Sedif/REX/Shutterstock 36HC Anouchka/Orsay/REX/Shutterstock 36BC Columbia/REX/Shutterstock 38, 40, 42HG, 47 Davis Films/REX/Shutterstock 42BG, 46-47, 48, 188C Warner Bros/REX/Shutterstock 44G, 44D Ron Phillips/Morgan Creek/Davis Films/REX/Shutterstock 53, 80, 82H, 84D, 85, 86, 87B, 88B, 92H, 93B, 99, 100, 102-103, 104H, 105 Miramax/Buena Vista/REX/Shutterstock 59BD Monogram/REX/Shutterstock 60, 61, 62B, 63, 64G, 68-69, 70B, 70H, 73, 74, 76B Live Entertainment/REX/Shutterstock 106-107, 116-117 Los Hooligans/A Band Apart/REX/Shutterstock 109, 110H Miramax/REX/Shutterstock 110B, 115BG Driver Prods/REX/Shutterstock 113B Jet Tone/REX/Shutterstock 132, 136-137, 148D, 155H Miramax/A Band Apart/REX/Shutterstock 139G, 172BG, 172D, 178, 181, 214-215, 220 Snap Stills/REX/Shutterstock 166 Soeren Stache / Epa/REX/Shutterstock 208G, 209, 213, 221B, 223D Columbia Pictures/The Weinstein Company/REX/Shutterstock 208D Brc/Tesica/REX/Shutterstock 216H Prod Eur Assoc/Gonzalez/Constantin/REX/Shutterstock 217, 236D, 239H, 240-241 Andrew Cooper/Columbia Pictures/The Weinstein Company/REX/Shutterstock The Ronald Grant Archive: 66, 162, 163H, 164-165 Miramax/RGA Sandria Miller: 59H Sandria Miller Sundance Institute 244 William Morrow Paperbacks.

PAGE SUIVANTE : Portrait par Nicolas Guérin, 2008.

« Deux autres. Et puis c'est tout.
Lâcher le micro. Boum.
Dire à tout le monde :
"Allez-y, faites-en autant !" »

(3 novembre 2016)